sept 08

LE MYSTÈRE DES PAVOTS BLANCS

Retrouvez d'autres

ENQUÊTES D'ENOLA HOLMES

---

1 - LA DOUBLE DISPARITION
2 - L'AFFAIRE LADY ALISTAIR

L'édition originale de ce livre est parue aux États-Unis
aux éditions Philomel Books (The Penguin Group, New York, U.S.A.)
sous le titre *The Case of the Bizarre Bouquets – An Enola Holmes Mystery.*

Loi n° 49956 du 16 juillet 1949 sur les publications destinées à la jeunesse
ISBN 978-2-09-251302-6

LES ENQUÊTES D'ENOLA HOLMES

Un roman de
Nancy Springer

Traduit de l'anglais par Rose-Marie Vassallo

LE MYSTÈRE DES PAVOTS BLANCS

Nathan

Pour ma mère
N. S.

LONDRES
(ASILE PSYCHIATRIQUE COLNEY HATCH)
MARS 1889

DÉCIDÉMENT, se dit l'infirmière sans lever les yeux de son tricot, les fous n'ont pas un penny de jugeote. Mais c'est bien là leur problème, pas vrai ? Ce nouveau patient, par exemple. S'il savait ce qui est bon pour lui, il serait dans la cour avec les autres à l'heure qu'il est, en train de profiter de ce beau soleil, le tout premier de la saison. Il suivrait les instructions : « Debout bien droit ! On respire à fond ! On lève les yeux, on admire le ciel bleu ! Et maintenant, en avant, marche ! Gauche, droite ! Une, deux, une, deux ! » Et il en tirerait le plus grand bien. Au lieu de quoi…

Au lieu de quoi, pour la centième fois peut-être, le nouveau patient s'insurge : « Mais vous allez me sortir d'ici, à la fin ? Je suis un citoyen britannique ! Se faire traiter de la sorte au Royaume-Uni, à notre époque ! C'est proprement intolérable ! »

Cela dit, il faut lui rendre cette justice : si furieux qu'il soit, il ne jure pas, n'insulte personne. Même dans ses pires éclats de rage – comme lorsqu'il a infligé un œil au beurre noir à monsieur le directeur en personne –, jamais encore il ne s'est montré grossier.

En ce moment même, il se contente de protester avec la dernière énergie : « Sortez-moi de là, enfin ! J'ai des droits ! J'entends qu'on les respecte, comme pour tout loyal sujet de Sa Gracieuse Majesté ! Sortez-moi de ce cercueil, vous dis-je !

— Ce n'est pas un cercueil, voyons, Mr Kippersalt », rectifie l'infirmière, indulgente. Assise sur un siège de bois dur, sans autre confort que le rembourrage dont l'a dotée la nature, elle tricote à quatre aiguilles une chose tubulaire qui semble promise à un avenir de chaussette. « Ça a peut-être un peu la forme d'un cercueil, admettons. Mais un cercueil n'a pas de barreaux, vous le savez très bien. Alors que là, vous en avez : sur les côtés, sur le dessus, partout, pour vous permettre de respirer à l'aise et me permettre, à moi, de m'assurer que tout va bien pour vous.

— Que *tout va bien pour moi* ? » Dans son lit de contention, le patient explose de rire.

L'infirmière sursaute, perd une maille, se renfrogne. Posant son tricot sur ses genoux, elle tire de sa poche un carnet et un crayon.

« Que tout va bien… pour moi ? répète le patient, entre deux hoquets d'un rire trop aigu.

— Vous n'avez pas l'air souffrant, voilà ce que je veux dire, précise sa garde-malade, très digne. Votre paillasse est propre. Vous pouvez changer de position, remuer les mains... Assurément, le lit-cage est vingt fois préférable à la camisole de force.

– *Lit-cage !* C'est donc ainsi que se nomme la chose ! » Pour une raison connue de lui seul, le patient s'esclaffe de plus belle.

L'infirmière le tient à l'œil. Elle sait qu'il est à surveiller de près. Il s'est révélé alerte pour un homme de sa corpulence. Et il n'a pas les yeux dans sa poche, non plus ; il a bien failli fausser compagnie aux gardiens, tout à l'heure.

Dans le registre récemment ouvert au nom de Mr Kippersalt, elle inscrit la date et l'heure, puis complète : *Rire apparemment hystérique*. Les notes précédentes concernant le nouvel interné sont brèves, mais éloquentes. Il s'est débattu avec frénésie au moment de revêtir son uniforme de laine grise et de se défaire de ses effets personnels ; il a refusé toute nourriture ; ses urines sont limpides, ses selles en tout point normales ; il semble avoir une bonne hygiène et ne présente aucune anomalie des membres, ni du tronc, ni de la tête ; son intelligence paraît plutôt supérieure à la moyenne et il fait usage d'un mouchoir.

« Lit-cage, dites-vous ? Me prenez-vous donc pour un fauve ? » Le rire inquiétant prend fin. D'âge moyen, d'allure un tantinet militaire et présentant plutôt bien, le patient entreprend de se lisser la moustache, comme pour s'apaiser ou pour mieux réfléchir. « Et quand me rendra-t-on ma liberté de mouvements ?

– Quand le docteur vous aura examiné. »

Et quand vous aurez reçu votre dose d'hydrate de chloral, complète l'infirmière *in petto*. Lui-même adepte du laudanum et autres produits du même genre, le médecin de l'établissement ne se complique guère l'existence : sédatifs pour chacun de ses patients.

« Le docteur ? Mais j'en suis un moi-même ! » Et le voilà reparti à rire.

Persiste dans son délire de grandeur, note consciencieusement l'infirmière.

Elle reprend son tricot. Le plus délicat, c'est le talon ; surtout quand on est sans cesse dérangé. Mais c'est le métier qui veut ça. Infirmière en chef, la charge est lourde. Toujours vingt choses à faire à la fois, jamais un instant de repos, jamais une minute pour flâner, pour jeter un coup d'œil à un journal. Surveiller, surveiller tout le monde. Ce nouveau patient agité, bien sûr, mais aussi le restant des pensionnaires, pour ne rien dire des autres infirmières – ah ! Florence Nightingale[1] pourrait venir par ici, elle aurait fort à faire. Et ne parlons pas des aides-soignants : au mieux, analphabètes ; au pire, pris de boisson ou s'adonnant à quelque autre vice…

1. Infirmière britannique (1820-1910). D'un dévouement exemplaire, elle a fait beaucoup progresser les soins hospitaliers et créé (en 1860) la première école d'infirmières professionnelles.

Elle pousse un long soupir et, tout en s'efforçant de rattraper sa maille, reprend avec une pointe d'agacement : « Vous, *docteur* ? Non, Mr Kippersalt, non. Vos documents d'admission le prouvent : vous êtes commerçant.

— Mais je ne m'appelle pas Kippersalt ! Je ne suis pas ce monsieur dont vous parlez sans cesse ! Enfin quoi ? Il n'y aura donc personne, dans ce diable d'établissement, pour comprendre qu'il s'agit d'une abominable méprise ? »

L'infirmière a un sourire las. « Depuis trente ans que je suis ici, Mr Kippersalt, dit-elle d'un ton résigné, consciente de ce regard luisant braqué sur elle à travers les lattes, j'ai entendu bien des malades protester qu'il y avait erreur sur la personne. Mais pas une seule fois il ne s'est révélé que c'était le cas. » D'où serait venue une telle révélation, d'ailleurs – alors qu'un internement fait si souvent l'affaire de ceux qui pourraient le dénoncer ? « Des gentlemen comme vous, tenez. Nous en avons eu plusieurs, ici, qui disaient être Napoléon… Napoléon, oui, c'est le cas le plus fréquent, mais nous avons eu aussi un prince Albert, un sir Francis Drake et un William Shakespeare…

— Peut-être, mais en ce qui me concerne, je dis vrai !

— Avec le temps, poursuit l'infirmière, imperturbable, certains de ces malheureux retrouvent le sens des réalités. Mais les plus égarés, bien sûr, sont contraints de rester ici. Est-ce là ce que vous souhaitez, Mr Kippersalt ? Rester derrière ces murs jusqu'à la fin de vos jours ?

— Je ne m'appelle *pas* Kippersalt ! Je m'appelle Watson ! »

Sous les lattes de bois, la moustache se hérisse. Alors, d'un ton taquin, l'infirmière ironise : « Nous avons un Sherlock Holmes dans l'aile sud. Peut-être vous reconnaîtrait-il ?

— Très drôle ! Il n'empêche, je vous le dis, je suis bien John H. Watson, docteur en médecine et auteur ! Tenez, pour vous en assurer, vous n'avez qu'à appeler Scotland Yard… »

Appeler ? Au téléphone ? Comme si tout Londres disposait déjà d'un équipement aussi récent et aussi sophistiqué ! Monsieur le directeur envisage bien de le faire installer un jour, ce fameux téléphone, mais ce n'est pas demain la veille. Appeler Scotland Yard ! Délire de grandeur une fois de plus.

« … et demander l'inspecteur Lestrade. Il vous confirmera mon identité…

— Tst, tst ! fait l'infirmière. Tst, tst, tst ! » Le patient s'imagine peut-être que monsieur le directeur va lancer une enquête, rembourser les frais d'admission et le relâcher dans la nature ? Cet homme est en pleine divagation. « Allons, chut ! maintenant, Mr Kippersalt. Caaalmez-vous. *Chuuut*. »

Elle lui parle très bas, comme à un enfant qu'on apaise. Bien sincèrement, elle se fait du souci. Ce genre d'emportement peut vous enfiévrer le cerveau, si l'on n'y veille. Depuis deux jours que Mr Kippersalt est ici, il n'a cessé de divaguer de la sorte, sans désemparer. Triste cas, vraiment. Des cerveaux dérangés, elle en a vu beaucoup, mais ce nouvel arrivant la navre. On a tellement l'impression qu'il pourrait être quelqu'un de bien, s'il avait toute sa tête !

CHAPITRE PREMIER

SE CHOISIR UN NOM n'est pas chose facile. C'est encore plus délicat, je pense, que d'en choisir un pour un enfant, ne serait-ce que parce qu'on en sait trop sur soi-même, alors que d'un nouveau-né on ignore à peu près tout. Cette réflexion, je me la faisais – une fois de plus – en ce jour de mars 1889, tout en cherchant quel nouveau nom me donner. Et je me disais aussi – une fois de plus – que seule une lubie d'artiste avait pu conduire ma mère à me prénommer Enola. Enola qui, à l'envers, se lit : *alone*[1]...

Ne pas songer à Mère.

Si la meurtrissure à ma pommette achevait de s'effacer, mes meurtrissures à l'âme persistaient. Encore fragilisée par l'épisode violent qui avait récemment secoué ma vie, je restais donc dans ma chambre en cet après-midi ensoleillé, le premier vrai jour de printemps. Crayon et papier en main, assise à ma fenêtre ouverte (que l'air frais était donc bon, même à Londres, même dans l'East End, après un interminable hiver !), je contemplais l'effervescence de la petite rue en contrebas, encombrée comme jamais.

Un convoi exceptionnel de viande de mouton – du mouton encore sur pattes, trottinant et bêlant –

1. En anglais : « seul(e) ».

bloquait derrière lui tout un assortiment de véhicules, carrioles, tombereaux, charrettes à âne… Les cochers échangeaient des politesses et les badauds se délectaient de leurs répliques, tandis qu'allaient et venaient les tuniques rouges des recruteurs de l'armée qui profitaient de l'occasion pour faire leur métier. Un aveugle guidé par une fillette en loques s'efforçait de se sortir de là, des gamins des rues grimpaient aux réverbères pour mieux jouir du spectacle, des femmes en châle élimé tentaient de se frayer un chemin à travers cet embarras. Je m'interdisais de les envier, ces malheureuses des bas quartiers, affairées du matin au soir, mais d'un autre côté… elles, au moins, elles savaient qui elles étaient et où elles allaient.

Je rendis mon attention au papier sur mes genoux. En tout et pour tout, j'avais écrit :

Enola Holmes

D'un trait décidé, je barrai ces deux mots – mon propre nom, celui dont il m'était interdit de faire usage. Car j'étais condamnée aux pseudonymes, seul moyen d'échapper à mes frères aînés, Mycroft et Sherlock, qui s'étaient mis en tête de prendre en main mon éducation et de faire de moi une jeune lady, autrement dit un ornement de salon digne de la bonne société. Or la loi les y autorisait, du moins pour les six ans et demi à venir – jusqu'à mes vingt et un an sonnés. Légalement, rien ne les empêchait de m'envoyer, de gré ou de force, dans quelque pensionnat ou couvent, orphelinat, institut de peinture sur porcelaine pour jeunes filles, que sais-je encore ? Non moins légalement, Mycroft, l'aîné, pouvait même me faire enfermer dans un asile psychiatrique, si le cœur lui en disait. Pareille décision ne nécessitait que la signature de deux médecins, dont l'un n'était autre qu'un « docteur des fous », neuf fois sur dix propriétaire de l'asile en question et en quête de fonds – donc de pensionnaires – pour son établissement. Oui, la signature de deux praticiens suffisait, plus celle de Mycroft lui-même, que j'imaginais fort bien capable de pareille manigance tant l'épouvantait l'idée d'avoir une jeune sœur hors des rangs.

Mieux valait ne pas y songer.

J'inscrivis plutôt :

Ivy Meshle

Ce nom, je l'avais porté durant de longues semaines, c'était celui que je m'étais inventé peu après avoir fugué pour aller vivre à Londres, seule mais libre. *Ivy* pour la fidélité[1], *Meshle* à partir de

1. En anglais, le mot *ivy* signifie « lierre », symbole de fidélité.

« Holmes » : « hol-mes », « mes-hol », Meshle. Pour tout avouer, il me plaisait bien et je l'aurais volontiers gardé. Mais était-il encore si sûr ? Sherlock, je le savais, avait découvert que j'utilisais le prénom Ivy pour communiquer avec Mère par le biais des petites annonces dans les journaux…

À propos, que savait-il d'autre de moi, mon fin matois de frère, Sherlock – le seul, à mon avis, à me rechercher activement, contrairement à Mycroft, moins leste de corps et d'esprit ? Qu'avait-il appris à mon sujet, lors de nos rares et épisodiques rencontres ?

Je repris mon crayon.

Sherlock sait :
– que je lui ressemble ;
– que je grimpe aux arbres ;
– que je fais de la bicyclette ;
– que je me suis déguisée en veuve, en vendeuse d'essuie-plumes, en nonne ;
– qu'il m'arrive de distribuer aux pauvres des couvertures et de la nourriture ;
– que je camoufle une dague sous mon corset ;
– que j'ai retrouvé deux personnes portées disparues ;
– que j'ai mis la police sur la piste de deux malfaiteurs ;
– que par deux fois je me suis introduite chez lui, au 221b, Baker Street ;

–que j'utilise le prénom Ivy.
Il y a de fortes chances aussi qu'il ait appris, de la bouche du Dr Watson, qu'une jeune femme nommée Ivy Meshle a travaillé pour le Dr Ragostin, « Spécialiste en recherches – Toutes disparitions », premier du genre à Londres et fort probablement au monde…

Je ravalai un soupir. Le Dr Watson, je le tenais en haute estime. Certes, je ne l'avais rencontré que trois fois : la première, le jour où il était venu consulter le fameux « spécialiste en recherches » par amitié pour Sherlock Holmes ; la deuxième, lorsque j'étais allée lui poser une question et qu'il m'avait donné un peu de bromure contre un soudain mal de tête ; la troisième, lors de cette funeste nuit où je lui avais amené une jeune blessée à soigner d'urgence. Mais c'était assez pour voir en cet homme – qui aurait pu être mon père – le type même du parfait gentleman anglais, solide, courtois, généreux, prêt à venir en aide à chacun. Il m'inspirait une confiance instinctive, un mélange d'admiration et de sourde tendresse assez proche de ce que j'éprouvais pour Sherlock. Car paradoxalement j'aimais ce frère aîné, même si je dois bien avouer que je ne le connaissais guère, lui non plus, en dehors des écrits de son ami Watson justement, Watson dont je dévorais les récits avec la même avidité que des millions de lecteurs en Angleterre – au point de les lire dans un périodique avant même leur parution en livre.

Mais pourquoi, pourquoi étais-je condamnée à devoir toujours me garder des gens que j'aimais le plus ?

Avec un soupir, je rayai *Ivy Meshle* de trois traits résolus.

Bien, et maintenant ?

Ce n'était pas seulement sur le choix d'un nom que je butais ; c'était aussi sur l'immense question de savoir qui devenir. Dans quel personnage de femme me cacher à présent ? Une Mary, une Susan ? À mourir d'ennui. Las ! les prénoms floraux que j'affectionnais, comme Rosemary, emblème du souvenir, ou Violet, symbole de discrétion, étaient hors de question. Sherlock avait découvert que nous communiquions au moyen d'un code floral, Mère et moi, et la moindre fleurette risquait donc d'attirer son attention.

Je ne pouvais pas non plus recourir à mes deuxième ou troisième prénoms – car j'en avais mon quota, bien sûr, comme toute personne bien née. Enola Eudoria Hadassah Holmes, voilà qui j'étais pour l'état civil. Enola E. H. Holmes. E.E.H.H. Eehh ! (Mon état d'esprit du moment.) Mais Hadassah était le prénom d'une sœur de mon père, décédée, et Sherlock l'aurait donc immédiatement repéré. Quant à Eudoria, bien pis, c'était le prénom usuel de notre mère. Autant clamer : « C'est moi, je suis là ! »

De toute manière, je ne tenais pas à resserrer les liens avec ma mère.

En étais-je bien certaine ?

Oh ! et la barbe à la fin. J'étais libre, non ? Comme pour le prouver, ma main griffonna :

Violet Vernet

Ce qui ne m'avançait à rien. Vernet était le nom de jeune fille de notre mère ; autant dire, pour Sherlock, un véritable signal en rouge.

Inversé, peut-être ?

Tenrev

Non. En jouant avec les lettres, alors ?

Netver
Never[1]
Every[2]
Ever[3]

1. En anglais : « jamais ».
2. En anglais : « chaque ».
3. En anglais : « toujours, à jamais ».

À jamais quoi ?

À jamais seule ?

À jamais abandonnée ?

À jamais indomptée, décidai-je. À jamais résolue à rester… qui j'étais. Insoumise. Idéaliste. Mais surtout spécialiste en recherches, toutes disparitions.

Idée ! Pour avancer dans cette voie, pour avoir vent des nouvelles avant même leur parution, pourquoi ne pas essayer de me trouver un emploi de bureau dans quelque publication de Fleet Street ?

À cette seconde, comme par hasard, j'entendis le pas de tortue de ma logeuse montant l'escalier.

« Miss Meshle, vos journaux ! » mugit-elle bientôt, avant même d'avoir atteint le palier. Sourde comme un pot, cette bonne Mrs Tupper se croyait obligée de crier plus fort qu'une marchande de poisson.

Je me levai et traversai ma chambre, jetant mon brouillon dans l'âtre au passage, tandis qu'elle tambourinait à la porte comme pour l'enfoncer. J'ouvris grand et, sur sa lancée, la bonne dame me jeta au visage : « Vos journaux, miss Meshle !

— Merci, Mrs Tupper. »

Elle ne m'entendait pas, bien sûr, mais elle lisait sur mes lèvres et y voyait, je l'espérais, quelque chose qui se voulait un sourire.

Je pris les journaux de ses mains, m'attendant à la voir tourner les talons. Mais elle redressa bien droit sa frêle silhouette un peu voûtée, posa sur moi son regard embué et déclara de ce ton de bravade qu'on prend pour accomplir son Devoir Moral : « Miss Meshle ! C'est pas bon pour la santé, savez, de rester enfermée comme ça ! Ce qui vous est arrivé, je n'en sais rien et ça ne me regarde pas, mais ce n'est sûrement pas une raison pour rester entre quatre murs comme ça. Avec ce beau soleil et le printemps qu'est dans l'air, moi, je vous dis : mettez vot' chapeau et allez donc marcher un peu, prend' un peu d'exercice… »

Ou du moins est-ce le discours qu'elle dut me tenir en substance. La vérité est que je n'écoutai guère, et je suis au regret d'ajouter que je lui refermai la porte au nez avec plus ou moins de délicatesse, toute mon attention neutralisée par un titre du *Daily Telegraph* :

MYSTÈRIEUSE DISPARITION
DE L'ASSOCIÉ DE MR SHERLOCK HOLMES
– LE DR WATSON INTROUVABLE

CHAPITRE II

SANS MÊME M'ASSEOIR, je dévorai l'article :

> De Bloomsbury nous parvient cette information inquiétante : le Dr John Watson, respectable docteur en médecine, plus connu sans doute comme associé du grand détective Sherlock Holmes et chroniqueur de ses enquêtes, a mystérieusement disparu sans le moindre indice. Toutes nos pensées vont, il va de soi, à la famille et aux amis de l'absent, mais l'on ne peut que songer à l'hypothèse terrifiante qu'il ait pu tomber aux mains de quelque sombre criminel, ennemi juré de Mr Sherlock Holmes, afin de servir de monnaie d'échange dans on ne sait quel odieux marchandage. Selon une autre hypothèse non moins alarmante, il n'est pas exclu qu'il ait été enlevé par quelque gang anti-vaccination, pour l'unique raison qu'il est médecin. Une enquête va être diligentée en vue d'essayer de retracer les déplacements du Dr Watson mercredi dernier, jour de sa disparition, entre l'heure à laquelle il a quitté son domicile pour effectuer ses visites et celle où il aurait dû rentrer chez lui. Les cochers de fiacre, interrogés...

Il y en avait ainsi sur deux colonnes, et le tout du même tonneau – de cette prose journalistique enfilant des mots sur des mots pour ne pas dire grand-chose en fin de compte, faute d'avoir grand-chose à dire. La « disparition » du Dr Watson ne semblait digne d'un article que parce qu'elle fournissait l'occasion d'étaler en gros caractères le nom de mon célèbre frère. Le bon docteur, apparemment, avait quitté son domicile mercredi matin, or on était seulement vendredi après-midi : une bien brève absence pour être déjà jugée alarmante. « Une enquête va être diligentée », affirmait l'article. Autrement dit, pour l'heure, la police estimait – sagement – que toutes sortes de raisons anodines pouvaient motiver cette absence et que, d'un moment à l'autre, un télégramme explicatif ou la réapparition du « disparu » allait fournir la clé de l'énigme. En tout cas, l'enquête n'était pas lancée, sans quoi le journal eût fourni le nom de l'inspecteur mandaté. Manifestement, à ce stade, deux personnes en tout et pour tout cherchaient réellement à savoir où se trouvait le Dr Watson : sa femme, il va de soi ; et son meilleur ami, mon frère Sherlock.

Fort bien. On pouvait en ajouter une troisième : moi.

Sauf que… minute, papillon ! Et si cette « disparition » de John Watson était un piège tendu par mon cher frère pour me mettre la main dessus ? Un piège un peu plus élaboré que la petite annonce qu'il avait placée quelques semaines plus tôt, prétendument signée de ma mère et m'invitant à un rendez-vous sur les marches du British Museum ?

L'hypothèse n'avait rien de farfelu. Sherlock me connaissait mieux, désormais. Il savait ma tendance à me lancer à la recherche des personnes portées manquantes. Et même si, peut-être, il ne soupçonnait pas que j'avais inventé de toutes pièces le Dr Ragostin, il avait sans doute appris, par Watson, que j'avais travaillé pour cet expert. S'il avait enquêté, il savait aussi que le fameux Dr Ragostin, « absent pour affaires », avait fermé son bureau jusqu'à nouvel ordre, n'y laissant qu'un réceptionniste, une cuisinière et une gouvernante, chargés de veiller sur les lieux. Avait-il compris qu'en fait c'était moi qui avais résolu de m'« absenter », quoique pas vraiment pour affaires ? En avait-il plus ou moins déduit que le spécialiste en disparitions n'était autre que moi-même ?

Pouvait-il avoir deviné, par-dessus le marché, que j'éprouvais pour le Dr Watson une affection presque filiale, si bien que l'annonce de sa disparition avait toutes les chances de me faire entrer en action ?

En un mot comme en cent, ne valait-il pas mieux aborder l'affaire avec la plus grande circonspection ?

Mais ces sages considérations avaient beau me trotter dans la tête, j'étais déjà plantée devant mon armoire-penderie, en train de réfléchir à divers déguisements, diverses stratégies, en vue d'enquêter de mon côté sur cette disparition présumée. Une camisole de force, je crois, n'aurait pu m'arrêter.

Je n'en allais pas moins devoir me montrer très, très prudente.

L'entreprise n'avait rien de simple. Après trois semaines de claustration volontaire dans ma chambre – trois semaines de rumination pure, passées à remâcher diverses choses et notamment l'absence de secours maternel quand j'en aurais eu tant besoin –, je n'étais absolument pas prête à l'action. Il me manquait, au bas mot, une demi-douzaine d'accessoires.

Je ne tergiversai pas des heures durant. M'enveloppant à la diable de mon châle le plus passe-partout, je résolus d'aller faire des emplettes. Allons, Mrs Tupper allait être ravie : je sortais « prend' un peu d'exercice ».

De l'exercice, j'en pris plus qu'un peu, car je choisis d'aller à pied là où je m'étais mis en tête d'aller, ce qui n'était pas la porte à côté. Marcher allait m'aider, je l'espérais, à mettre un peu d'ordre dans mes pensées, aussi tortueuses et embrouillées que les rues et ruelles du quartier, au pied de bâtisses surpeuplées, lépreuses et encrassées de suie.

L'environnement, malheureusement, n'engendrait pas la sérénité. Autour d'un pauvre diable qui criait à pleine voix : « Tourtes chaudes ! Tourtes à la bonne viande ! Deux pour un penny ! » tournoyait une bande de garnements scandant sur le même ton : « Tourtes au chien ! Tourtes au rat ! Deux pour un radis ! ». Ils ne se turent que lorsqu'un agent de police, à longues enjambées, vint disperser ce petit monde pour entrave à la circulation. Et si le printemps était bien « dans l'air », comme l'avait affirmé Mrs Tupper, il n'y était, hélas, pas le seul. La tiédeur avait pour effet d'exacerber toutes les odeurs, y compris les plus pénibles, comme celles des latrines des immeubles – chaque fosse d'aisance servant à soulager, au bas mot, quelque cent à deux cents personnes –, sans parler des remugles de la Tamise voisine ni des puanteurs de l'usine à gaz, monstre géant sur pattes d'acier, s'employant à asphyxier tout le quartier.

Bien pis : malgré le charme indéniable d'un ciel presque limpide – chose rarissime à Londres, où les fumées stagnaient sur la ville par tous les temps, par tous les vents –, il me semblait que ce soupçon de printemps rendait plus agressif encore le tintamarre de la rue et plus sournois ses dangers. Cette visiteuse sociale, par exemple, avec sa petite coiffe noire désuète, son long manteau, son tablier blanc, que je voyais s'aventurer dans une impasse entrecoupée de fils à linge, méritait-elle vraiment les insultes des désœuvrés qui traînaient là – parmi lesquels deux ou trois femmes – et de se faire jeter dans le dos des cailloux et du crottin ?

Quel courage elle a, me dis-je, pressant le pas, puis une pensée me vint : une tenue d'infirmière ou de visiteuse médicale, n'était-ce pas là un bon déguisement ? Ou bien celle, un peu militaire, d'une volontaire de l'Armée du Salut ? En présence d'un uniforme, n'avait-on pas tendance à voir le costume plus que la personne ?

Peut-être, mais Sherlock Holmes n'était pas « on ». Il avait le regard aigu, bien plus que le commun des mortels. Or il savait pertinemment que je m'étais déjà déguisée en religieuse, et risquait donc d'être à l'affût de toute tenue du même type – costume d'infirmière, de nourrice, de diaconesse[1], que sais-je encore ? Non, il me fallait prendre une apparence totalement inattendue…

À ce point de ma balade, grâce au ciel, j'étais sortie des quartiers miteux et cheminais à présent le long de larges trottoirs. Là-bas, droit devant, se profilait déjà le dôme de la cathédrale St Paul, dont les balustres et colonnades contrastaient curieusement, à mes yeux, avec les clochers gothiques avoisinants, ornés de flèches et de gargouilles – pour ne rien dire

1. Dans certaines Églises protestantes, les diaconesses sont des femmes qui se consacrent à des tâches missionnaires. La plupart vivent en communauté et portent un costume proche de celui des religieuses, dont elles se distinguent par le fait qu'elles ne prononcent pas de vœux.

de la résidence à tour carrée, avec corniches à l'italienne, que je longeais à l'instant. J'étais toujours aussi fascinée par le caractère composite de Londres, ce surprenant salmigondis de gares, de fabriques, d'usines et d'édifices de toutes les époques, tous les styles – mauresque, géorgien, second Empire français, Regency, néo-gothique, néo-classique, néo-ceci, néo-cela… Comme si la ville, à mon image, ne savait trop qui elle était ni quel visage présenter.

Là, plus encore que dans l'East End, circulait une foule disparate. Des dames bien mises faisaient leurs emplettes, de boutique de modiste en magasin de parfumeur, allant d'un pas vif afin de n'être pas confondues avec d'autres dames bien mises, trop bien mises, qui s'attardaient sur le trottoir. De jeunes employées ou vendeuses grimpaient avec une agilité de cabri sur l'impériale des omnibus, tandis que des provinciaux en visite semblaient s'ébaubir de tout : garçons livreurs à vélocipède ; vendeurs ambulants tenant leur marchandise au bout de perches en équilibre sur leurs épaules ; ramoneurs au front plus noir que leurs brosses ; écoliers aux doigts tachés d'encre crispés sur un paquet de livres ; honorables gentlemen vêtus de la tête aux pieds de noir et de gris muraille ; jeunes oisifs fortunés, sapés comme des milords et en quête d'amusements… Mycroft et Sherlock, je le soupçonnais, avaient cru un temps que c'était sous les traits d'un de ces dandys que j'avais dû choisir de me cacher...

Mes frères. Juste comme je songeais à eux, le hasard me fit croiser une femme aux cheveux coupés court, sans gants, portant chapeau melon et cape de cocher, une canne dans une main, la laisse d'un bull-terrier dans l'autre – vivante image, j'en aurais juré, de ce que mes aînés redoutaient de me voir devenir. Il n'y manquait que le cigare.

J'entrais à présent dans la City, le plus ancien quartier de Londres – mais non pas son centre, comme je l'avais cru naguère, pas plus que ne l'étaient la Tour, ni Covent Garden, ni Piccadilly Circus, ni Trafalgar Square, ni le palais de Buckingham, ni même Westminster où siégeait le Parlement. En vérité, Londres n'avait pas de centre, je le savais désormais, pas plus que n'en avait le ragoût à la tête de mouton de Mrs Tupper.

M'interdisant de comparer une fois de plus l'état de confusion de la ville et celui de mon esprit, je dirigeai mes pas vers Holywell Street, au cœur même du vieux Londres.

Aussi étroite que sinueuse, et d'une netteté plus que douteuse, cette rue au nom si sage, si correct, alignait essentiellement, sous les pignons pointus de ses bâtisses pittoresques, de prétendues boutiques « d'art », proposant surtout des publications de bas étage et des gravures coquines. Mais je n'étais pas venue là pour les lithographies de jeunes femmes exhibant cheville et dentelles sous couleur de lacer leurs bottines Balmoral. Je cherchais une tout autre échoppe. Jadis, et dès l'époque élisabéthaine, Holywell Street avait été dédiée à la mercerie, aux fanfreluches, et en écho à ce commerce on trouvait encore là un certain nombre de boutiques spécialisées dans les costumes pour carnavals et bals masqués. Des enseignes en forme de masque m'adressaient sourires et grimaces à mesure que je progressais le long de cette voie encombrée. Progression qui exigeait de la patience, car non seulement la rue n'était pas large, mais encore les étals des marchands de gravures empiétaient sur l'étroit trottoir, comme pour mieux harponner le chaland. Tandis que je piétinais dans un encombrement, un petit brin de fille d'à peine six ou sept ans me retint par la manche, s'offrant à me vendre ce qui, à première vue, ressemblait à des cartes à jouer. À première vue seulement ; au second regard, je sursautai et m'éloignai d'un pas vif.

Enfin, je repérai ce que je cherchais des yeux. Là-bas, sous l'avancée d'une antique bâtisse à colombages, pendait une enseigne de bois sans doute aussi ancienne que la construction elle-même. Silhouette de coq levant haut la crête, elle ne pouvait qu'annoncer le but final de mon excursion.

CHAPITRE III

CETTE ADRESSE, je l'avais découverte par hasard, lors d'un épisode qui vaut d'être mentionné.

Le mois précédent, mon frère Sherlock avait été à deux doigts de me capturer. Mais les minutes cruciales qu'il lui avait fallu pour lancer la police à mes trousses m'avaient permis, à moi, de me trouver un refuge, et un refuge hautement improbable : au 221b, Baker Street, autrement dit chez Sherlock lui-même, où je m'étais introduite avec la complicité d'un platane verruqueux, d'un toit d'avant-cuisine et d'une fenêtre entrouverte.

Depuis lors, je me demandais quelle avait été la réaction de mon aîné lorsque, regagnant ses pénates à l'aube, il avait découvert ma robe de religieuse en petit tas devant son âtre – l'odieuse odeur de chiffon brûlé m'ayant amenée à renoncer à son incinération –, et très probablement constaté l'absence de certains de ses effets dans son armoire-penderie. J'imaginais son amertume… et, curieusement, je ne jubilais pas de ce menu triomphe.

Alors que jouer le même tour à Mycroft m'aurait tant plu ! Une autre fois, peut-être. Quoi qu'il en soit, j'avais mis à profit ces quelques heures chez mon aîné, tandis qu'il battait tout le quartier à ma recherche, pour m'offrir le luxe d'inventorier ses outils de travail. Le cher homme avait, en particulier, une bonnetière pleine à craquer de perruques et de fausses barbes, ainsi que d'accessoires dont j'ignorais jusqu'à l'existence : fards, mastics, pâtes à masquer ; verrues et cicatrices amovibles ; fausses dents à plaquer sur les vraies – aussi gracieuses que des ruines de rempart noircies ; calottes souples destinées à faire d'un chevelu un chauve, perruques à changer un chauve en lion ; fonds de teint de tous coloris, toutes nuances – entre le rouge apoplexique, le jaune bilieux et le vert cadavérique ; appareils infernaux destinés à vous déformer la bouche, à simuler un abcès dentaire ou un bec de lièvre... Et moi, face à cet attirail, j'avais ouvert des yeux immenses. Où diantre mon frère avait-il pu se procurer des articles aussi peu courants ?

Peu après, fouinant dans son bureau, j'avais déniché des reçus au nom de boutiques variées, sises pour la plupart dans le quartier des théâtres et clairement orientées sur le maquillage de scène. (Hélas ! je me voyais mal me faire passer pour une actrice.) Cependant, divers articles dont l'achat remontait à plusieurs années provenaient quant à eux d'une boutique de Holywell Street. Une boutique nommée « Chaunticleer's[1] ».

1. « Chez Chaunticleer », autrement dit « Chanteclair ».

C'était là que j'avais décidé d'aller tenter ma chance en premier. Tout en m'interrogeant, d'ailleurs. Mon frère n'avait plus rien acheté à cette enseigne depuis quatre ou cinq ans. Peut-être la boutique avait-elle fermé ? Il n'y avait qu'un seul moyen de le savoir. Et si ce magasin existait toujours, il était littéralement fait pour moi : puisque Sherlock avait cessé de le fréquenter – pour des raisons m'important peu –, le risque était d'autant plus réduit de m'y retrouver nez à nez avec lui.

Chaunticleer's. D'où l'enseigne en forme de coq.

Chaunticleer, je le savais, c'était le nom du coq au Moyen Âge, tout comme Reynard était le renard. D'où ce dernier tirait son nom, je l'ignorais[1]. Mais j'avais rencontré le coq Chaunticleer grâce à Chaucer et à ses *Contes de Cantorbéry*.

Dans la rue grouillant de badauds – décidément, les amateurs d'« art » étaient nombreux à Londres –, j'achevai de me faufiler jusqu'à l'échoppe de sire Chaunticleer.

Mais était-ce bien toujours « Chez Chaunticleer » ? Parvenue sous le coq de bois qui se balançait là, sans doute, depuis l'époque de Shakespeare, je découvris que l'inscription sur la porte annonçait pour sa part, mystérieusement et en lettres rouges : « Pertelote's ».

1. Reynard ou Reynart. Pour un Français, la réponse est évidente : depuis le *Roman de Renart*, le « goupil » (*vulpes*), nommé Renart, est devenu le « renard ».

Bizarre autant qu'étrange.

Pour en avoir le cœur net, un seul moyen : entrer.

C'est ce que je fis d'un pas prudent, jetant des coups d'œil à la ronde et m'attendant presque, sans raison aucune, à voir l'un de mes frères fondre sur moi, surgi de l'ombre. En fait, l'endroit semblait désert. Un présentoir près de la porte proposait des partitions musicales. Des livres d'occasion s'empilaient dans un angle, tandis que les étagères et rayons croulaient sous un bric-à-brac indescriptible – essentiellement des jeux de société et autres amusements de salon, décidai-je après les avoir parcourus du regard. Des cartes à jouer de toutes sortes (quoique de meilleur goût, je dois dire, que celles qui m'avaient été proposées dans la rue) côtoyaient des jeux de dominos, de petits chevaux, de jacquet, de mikado. Des lanternes magiques voisinaient avec des stéréoscopes. Et une irrésistible imprimerie miniature exhibait son tampon encreur et ses caractères amovibles en plomb… J'étais en train d'examiner cet article tentateur lorsqu'une voix dans mon dos, une voix féminine un peu caverneuse, une voix de contralto, s'informa aimablement : « Vous désirez… ? »

Je me retournai et me trouvai face à une femme entre deux âges, en jupon de laine et corsage, dont le sourire clamait fièrement et sans équivoque : C'est *ma* boutique.

Alors seulement mon esprit poussif se souvint : Pertelote, mais oui ! « Dame Pertelote », dans le conte de Chaucer, c'était l'épouse du coq Chaunticleer, sa favorite, une poule maligne et débordant de bon sens.

Rien d'étonnant, je m'en avisai, si Sherlock avait cessé de venir ici ! Apparemment, la boutique était passée du mari à l'épouse. Or, comme me l'avait fait remarquer un jour cette brave Mrs Lane, notre cuisinière et bonne à tout faire au manoir, ni l'un ni l'autre de mes frères n'avait jamais pu supporter l'idée qu'une femme eût du caractère...

Je m'informai timidement : « Euh, Mrs Pertelote, je suppose ? »

Son sourire se fit amusé.

« Per-*tell*-oh-tie », dit-elle, rectifiant ma prononciation si gentiment que c'en était presque un compliment pour la peine d'avoir essayé. C'était une forte femme, large de hanches, large d'épaules, presque sans cou, aux traits ingrats dans un visage en forme de tourtière. Ses cheveux gris, coiffés à plat et séparés par une raie médiane, s'enroulaient en deux petits chignons, pareils à des cornes de bélier, au-dessus de chacune de ses oreilles au lobe un peu pendouillant.

« Qu'est donc devenu Chaunticleer ? demandai-je en riant, au diapason de sa belle humeur.

— Ah ! il a cédé sa place.

— Pourtant, vous avez conservé l'enseigne ?

— Ma foi, elle est bien vieille et on doit le respect aux vieilles choses, pas vrai ? » Son sourire s'élargit encore, mais c'était pour clore le sujet. « Vous désiriez ? »

Son parler mêlait curieusement des pointes de cockney – cet accent populaire de l'East End qu'à présent je connaissais bien – et des intonations des classes plus cultivées. Le mélange avait un charme étrange.

Là encore, je m'efforçai de me mettre au diapason. Désignant la petite imprimerie, je m'informai : « Dites-moi… avec ceci, est-il possible d'imprimer des cartes de visite ? »

Elle ne battit pas d'un cil, ne parut pas se demander un quart de seconde ce qu'une jeune femme à la mise modeste pouvait avoir à faire de cartes de visite, ni pourquoi elle envisageait de les imprimer elle-même. Elle répondit sans hésiter : « Oui, absolument, mais pas de très bonne qualité. S'il ne vous en faut qu'une douzaine ou deux, je pourrais vous en confectionner de plus belles moi-même, dans mon arrière-boutique.

— Ah ? Bon. Merci. Puis-je jeter un coup d'œil à ce que vous vendez ?

— Mais tant que vous voudrez. »

Il y avait là une mine de trésors, de quoi fureter des heures entières : jeux de taquin en bois dont les pièces glissaient à l'intérieur d'un cadre ; planches de Ouija avec chiffres et lettres pour divination spiritiste ; roses de velours, boîtes à musique, éventails de plume, foulards de soie, masques et loups, superbes perruques en cheveux véritables – prélevés sans doute sur les victimes de quelque fièvre ou sur des condamnées de droit commun… Mais à vrai dire, je ne furetais que parce qu'il me fallait un temps de réflexion. Cette offre de cartes de visite imprimées sur place me tentait énormément : j'allais avoir besoin, très bientôt, de l'une de ces commodités. Mais pour passer commande, il me fallait un pseudonyme, et vite.

Je repris ma méditation au point où je l'avais laissée. Ever. *Ever me,* Everme ? Non. *Ever I,* Everi ? Encore pire. *Ever so,* Everso[1] ? Et pourquoi pas, en francisant un peu, Everseau ?

Pas si mal. Adopté. D'ailleurs, je n'allais sans doute pas user de ce nom très longtemps.

Et comme prénom ? Violet ? Non : encore une fois, pas de fleur – trop risqué. Viola ? C'était une fleur aussi, mais il fallait le savoir. Viola devait convenir.

1. *Ever me* : « à jamais moi » ; *ever I* : « à jamais je » ; *ever so* : « à jamais ainsi ». Mais *ever so* est également un intensif, l'équivalent de « tout ce qu'il y a de plus ». Par exemple, *thanks ever so,* en anglais familier, équivaut à « merci mille fois », « mille mercis ».

Je continuai de réfléchir. La commerçante ne semblait pas de ceux qui poussent à la consommation, sans quoi elle m'eût encouragée à acheter la petite imprimerie, transaction à coup sûr plus avantageuse pour elle que l'impression d'une douzaine de cartes de visite sur la presse de meilleure qualité qu'elle devait posséder dans son arrière-boutique.

Ce détail m'incitait à lui accorder confiance, même si, à peu près sûrement, « Pertelote » n'était qu'un nom d'emprunt. Et alors ? Après tout, elle non plus n'allait pas connaître mon vrai nom.

Autre interrogation : en plus des cartes de visite, pouvais-je sans risque me procurer ici quelques articles plus... disons plus compromettants ?

J'inclinais à penser que oui.

Fort bien, mais si je me trompais sur son compte ? Si elle était du genre à parler ?

Mais quelle importance, au fond ? Mes aînés ne risquaient guère d'entrer en conversation avec elle. Ni l'un ni l'autre, je l'ai dit, n'était prêt à accepter l'idée d'une femme indépendante, menant à sa guise ses affaires et sa vie, sans le soutien d'un père, d'un mari, d'un frère. De plus, à leurs yeux, le genre féminin était irrationnel par nature. Et donc, à quoi bon se soucier de ce qui pouvait se passer dans la tête d'une femme ?

Restait l'épineuse question du déguisement, et je

repris le fil de mon raisonnement. Sous quel aspect mes deux aînés s'attendaient-ils à me trouver ? Lorsque l'asperge que j'étais, aux traits anguleux de surcroît, avait fugué pour échapper à leur tutelle, ils avaient dû songer d'abord que je m'étais déguisée en garçon. Que pouvait faire d'autre une représentante du beau sexe assez peu gâtée par la nature ? Mais ils savaient à présent qu'en réalité je m'étais cachée sous les traits d'une veuve, puis d'une nonne. Il y avait gros à parier qu'ils s'attendaient maintenant à une nouvelle variante de la créature sans grâce. Peut-être, cette fois-ci, la vieille fille à voilette ? Ou la militante politique ? À propos, puisqu'ils ne me recherchaient plus sous un déguisement masculin, peut-être était-ce le moment d'opter pour le pantalon long ?

Non. D'abord, je n'en avais aucune envie. Mais surtout, j'avais l'intention de rendre visite à Mrs Watson ; pour ce faire, je devais être une femme.

Mais pas l'une de ces créatures reniant toute féminité auxquelles mes frères songeaient sans doute. Loin de là ! Ma décision était prise. C'était un défi, je le savais, mais j'allais me faire tout l'opposé de ce qu'imaginaient mes aînés.

J'allais me déguiser en femme superbe.

CHAPITRE IV

J'ALLAIS *me faire* femme superbe.

Cette décision, j'en conviens, naissait en partie d'un désir vengeur. Tant de fois j'avais observé cette tendance qu'ont trop d'hommes à classer les femmes en deux groupes : les jolies (sans cervelle), et les autres (sans intérêt). En digne fille de suffragiste[1], je brûlais de démontrer – de me démontrer à moi – que ces messieurs étaient faciles à berner.

Mais j'y voyais un autre avantage. Si réellement Sherlock et Watson me tendaient un piège, un déguisement aussi sûr était le meilleur moyen de ne pas me jeter dans la gueule du loup.

De toute manière, raisonnais-je en feignant d'examiner un jeu de tarots, si l'affaire était bien réelle, comme je tendais à le croire, Mrs Watson devait être en contact permanent avec Sherlock. Et si elle lui faisait part de la venue d'une grande fille dégingandée, tout en menton et en nez, il aurait tôt fait de se lancer sur ma piste. Tandis que si elle mentionnait la visite d'une jeune élégante, il ne se douterait de rien.

---

1. Membre du mouvement suffragiste, en faveur du vote des femmes. (Les « suffragistes », hommes et femmes, soutenaient ce mouvement ; les « suffragettes », femmes exclusivement, en étaient des militantes plus actives, à l'occasion violentes.)

À cet ingénieux programme, je ne voyais qu'un inconvénient. Je souhaitais inspirer confiance à Mrs Watson, or il se trouve que les femmes – même jolies – tendent à se méfier des jolies femmes. Sans connaître Mary Watson, je savais que sa beauté à elle n'avait rien d'exceptionnel, car j'avais lu tout récemment le savoureux récit fait par son mari de sa première rencontre avec Mary Morstan – son nom de jeune fille –, un jour qu'elle était venue consulter Sherlock Holmes. Watson disait de celle qui allait devenir sa femme que « sa beauté n'était pas dans la régularité des traits ni dans l'éclat du teint », mais plutôt dans « son expression ouverte et douce » et dans « ses grands yeux bleus, singulièrement profonds et attentifs ».

Mais si elle avait le cœur bon, peut-être après tout Mary Watson n'aurait-elle aucune prévention contre moi, même si je me faisais jolie femme ?

Toujours grâce à ce qu'en avait révélé son mari, je savais également que Mary Watson n'avait pas de famille en Angleterre. C'était d'ailleurs pourquoi, dans la difficulté, elle s'était tournée vers mon frère. Orpheline, elle s'était faite gouvernante – pas réellement domestique, mais certes pas non plus sur un pied d'égalité avec ses employeurs. Les gouvernantes, sauf exception, prenaient leurs repas seules. Et la solitude, je le soupçonnais, devait être encore souvent sa compagne. En tant que femme de médecin, elle se trouvait désormais à mi-chemin entre les classes populaires et la haute société. Avant son mariage, de son propre aveu, elle avait mené « une vie retirée », sans cercle d'amis. En avait-elle à présent ? J'étais tentée de penser que non. À en croire son mari, tous ceux qui avaient des ennuis accouraient à elle ; mais accouraient-ils à elle lorsqu'elle-même avait des ennuis ? Rien n'était moins sûr.

Dans l'épreuve, les uns recherchent la présence d'autrui, les autres préfèrent se couper du monde. Faute de savoir ce qu'il en était de Mary Watson, j'en étais réduite à espérer qu'elle se rangeait parmi les premiers et qu'elle accueillerait volontiers une visiteuse, même inconnue, en ces heures difficiles.

J'espérais donc ; que faire d'autre ? Et j'espérais aussi qu'elle me confierait quelque détail, même anodin, quelque indice qui me permettrait de percer le mystère de la disparition de son mari…

C'est une fort charmante créature qui descendit de fiacre, dans l'après-midi du lendemain, devant le bâtiment qui était à la fois la demeure du Dr Watson et son cabinet médical. Une jolie jeune femme d'une beauté toute simple et sans artifice, aussi fraîche que l'haleine d'un sous-bois…

Sans artifice ? À d'autres ! Apprêter Miss Viola Everseau m'avait demandé des heures d'efforts, et jamais je n'y serais parvenue si ma mère ne m'avait légué un peu de sa fibre artistique. Il y aurait beaucoup à dire sur le « naturel » dans la beauté, mais on peut sans crainte affirmer qu'il est avant tout illusion, affaire de proportions réaménagées avec art.

Pour ce qui est des proportions, je m'étais souvenue d'une remarque de mon frère Sherlock à mon propos, le jour de notre première rencontre. « Mycroft, avait-il dit en substance, la tête de cette enfant est relativement petite par rapport à son corps... » En l'occurrence, il en déduisait que mon intelligence devait être réduite d'autant – en quoi j'ose affirmer qu'il se trompait. Mais la remarque, elle, n'était pas fausse : sur ma silhouette d'asperge, ma tête semblait trop menue.

En foi de quoi, chez Pertelote, j'avais fait l'acquisition d'une perruque d'une exceptionnelle luxuriance.

Dans la beauté d'une femme, l'équilibre des proportions repose en grande partie sur l'arrangement de la chevelure – suivant les critères de la mode du moment, bien sûr, et l'époque affectionnait les coiffures volumineuses, savamment élaborées. Or mes propres cheveux, aussi fins que ceux d'un nourrisson et plus ternes qu'un plumage de moineau, présentaient en outre un énorme défaut : être implantés sur mon crâne, où il m'était difficile de procéder à de subtils aménagements. Tandis que la perruque... Quel confort elle offrait ! Plantée face à moi sur un chandelier, elle m'avait laissé arranger à ma guise ses lourdes mèches aux reflets bois de rose, et j'avais fait d'elle très exactement ce dont j'avais rêvé : un chignon opulent, généreux, tout à la fois impeccable et délicatement négligé, nimbé de fines bouclettes faussement rebelles.

Au naturel, c'est-à-dire sans perruque et sans ce que j'appelais mes « arrondisseurs de joues », j'étais une version féminine de mon frère Sherlock, en plus jeune : teint de cire, nez aquilin, traits taillés à la serpe. Mais cette chevelure d'emprunt, chatoyante et exquise de naturel, métamorphosait mon visage au point de me faire, comme par enchantement, un profil de statue grecque. Et les boucles brun-roux qui l'encadraient changeaient mon teint de cire en teint de porcelaine. J'avais peine à en croire mes yeux.

Bien entendu, il restait encore beaucoup à faire. Le naturel exige l'imperfection, l'entorse à la symétrie parfaite. Aussi avais-je collé sur ma tempe droite un petit grain de beauté lie-de-vin, également acheté chez Pertelote, qui détournait le regard du centre de mon visage – en d'autres termes, de mon appendice nasal. Un peu de poudre de riz là-dessus laissait croire que j'avais tenté de camoufler ce léger défaut.

La poudre de riz, pour une femme convenable, était parfaitement admise, mais le produit que j'appliquai ensuite, le fameux « rouge », ne l'était pas. Et cependant, il m'en fallait un soupçon pour aviver un peu mes pommettes et mes lèvres. Avec la complicité de Pertelote, j'avais également fait l'acquisition d'un produit nommé « papier d'Espagne », à m'appliquer sur les paupières afin de m'agrandir les yeux et de les rendre plus brillants. Mais il en fallait si peu – faute de quoi l'artifice devenait pleinement visible – que je dus m'y reprendre plusieurs fois avant d'« attraper le coup de main ». Décidément, se faire belle était toute une entreprise.

Et tant d'efforts, à la réflexion, sans aucune garantie d'être reçue par Mary Watson ! Car elle pouvait fort bien, eu égard aux circonstances, se trouver dans un état de fatigue nerveuse lui interdisant de recevoir toute visite.

Barbe de bouc ! Allais-je trouver porte close, après m'être donné ce mal de chien ?

Mais qui ne risque rien n'a rien. Et de toute manière, j'étais prête.

Un dernier coup d'œil au miroir… Un sentiment de triomphe me vint, aussi intense qu'inattendu.

Mrs Tupper, qui, par malchance, assista à ma sortie, en laissa choir le pichet de grès qu'elle tenait en main ; il ne résista pas au choc.

C'est sur cette note percutante que je trottinai vers mon fiacre. Et si, trois quarts d'heure plus tard, je gravis les marches de la maison Watson « aussi fraîche que l'haleine d'un sous-bois », pour me citer moi-même, c'est que je portais une touche d'un parfum baptisé *Brise des bois*, également acheté la veille. Jamais encore je ne m'étais parfumée. Les caniveaux pouvaient bien empuantir les rues, je n'étais pas du genre à me tamponner les narines d'un mouchoir imbibé de parfum. Mais la beauté, me semblait-il, ou plutôt l'impression de beauté ne concernait pas seulement le regard ; elle était le produit d'une conspiration des cinq sens. Un soupçon de parfum ne pouvait donc nuire. Pour la même raison, j'avais ingurgité du miel dans l'espoir de me faire la voix douce. Et tout en laçant mon corset, j'avais plus que jamais vérifié qu'aucun des accessoires logés là ne provoquait de bosse suspecte.

Ma robe, choisie avec le plus grand soin, n'était bien sûr ni trop modeste ni trop raffinée. Tout ce qui, dans mon apparence, semblait dépourvu d'artifice, de mes bottines à ma capeline nouée d'un foulard sous la nuque, était en fait le résultat de longues heures de délibérations et d'essais. Pour tout avouer, ces préparatifs m'avaient dévoré la moitié de la nuit. J'espérais que le manque de sommeil donnait à mon regard une profondeur pensive.

Parvenue à destination, une immense vague de doute me submergea. Et si c'était folie pure ? Et s'il crevait les yeux que j'étais le geai paré de plumes de paon ?

C'est en cet instant d'épouvante, comme il se doit, que la porte s'ouvrit. Mais le bouquet que j'apportais, perce-neige et fleurs d'amandier (espoir et compassion mêlés) noués d'un ruban jaune, justifiait ma présence. Dieu merci, à ce stade, je n'avais pas à ouvrir la bouche. Simplement, je priai le ciel de ne pas laisser voir à la bonne combien tremblait ma main gantée au moment de déposer sur son plateau d'argent ma carte de visite – « *Miss Viola Everseau* ».

CHAPITRE V

LA BONNE M'INTRODUISIT dans un petit salon très modeste, puis s'éclipsa vers les profondeurs de la demeure pour aller prévenir sa patronne. Debout, sagement plantée, j'inspectai la pièce. Chacune des fenêtres était entrouverte, sa glissière levée de deux pouces[1] très exactement. Par bonheur, dans ce quartier de Londres, l'air printanier n'était porteur que d'odeurs peu offensantes – un peu de fumée, un rien de crottin – et les senteurs de mon bouquet en venaient aisément à bout. À Londres, je l'avais découvert, quiconque pouvait s'offrir des fleurs les considérait non comme un luxe, mais comme une commodité essentielle, une compensation vitale aux agressions faites à l'odorat.

Vers l'arrière de la maison, une voix douce s'informa : « Qui est-ce, Rose ? » Peu après, avant toute réponse audible, je vis Mary Watson entrer dans son petit salon, ma carte de visite encore à la main. Elle avait le teint très pâle, mais semblait calme et posée. Presque à mi-voix, quoique avec chaleur, elle s'informa : « Vous souhaitiez voir le docteur ? Il n'est pas là, malheureusement. Que puis-je pour vous ? »

---

1. Environ cinq centimètres.

Un instant, je restai interdite. Elle avait les yeux rouges et gonflés. Le doute n'était plus permis : le Dr Watson avait bien disparu, la détresse de cette femme ne pouvait être feinte. Et cependant, elle était prête à me venir en aide plutôt qu'à recevoir de la compassion.

Je me sentais si petite face à cette femme admirable qu'en lui tendant mon bouquet je m'entendis balbutier : « J'ai lu la nouvelle... dans le journal, et je... je n'arrive pas à comprendre, parce qu'il est tellement gentil... Votre mari, je veux dire... Et j'espère que... Je vous demande pardon de vous déranger dans un moment si difficile, mais je... j'ai pensé que quelques fleurs... »

D'autres bouquets avaient été apportés, je le voyais, mais pas de quoi encombrer la pièce.

« C'est gentil à vous, merci. » Ses lèvres tremblaient un peu. Elle prit de mes mains mon bouquet blanc, le regard interrogateur.

« J'ai été une patiente de votre mari », m'empressai-je de répondre à sa question muette, et je rougis à la pensée que j'aurais dû commencer par là.

Elle acquiesça, acceptant de bon cœur la présence en son salon d'une jeune inconnue plutôt jolie – du moins je l'espérais – mais quelque peu tête de linotte.

« Vous voudrez bien me pardonner, dit-elle. Je ne connais pas tous ses patients.

— Et comment le pourriez-vous ? Mais lorsque j'ai vu, dans le journal… Je voulais absolument faire quelque chose, comprenez-vous. Parce que votre mari m'a non seulement très bien soignée, mais encore il l'a fait… avec tact et compréhension. »

Ce qui était exact, après tout. J'avais cette ligne de conduite : dans le mensonge (pieux ou moins pieux), toujours faire usage de la vérité. D'ailleurs, n'était-ce pas le meilleur moyen de mémoriser ce que j'avais dit ?

« Mais quelle délicate attention… Surtout d'être venue en personne… »

J'eus un pincement au cœur. Délicate attention, alors que j'étais en pleine imposture ! Puis je me rappelai que si j'étais ici, c'était dans l'espoir de lui venir en aide.

« Quelles jolies fleurs ! poursuivait-elle, tenant ce bouquet comme on tient un bébé. Miss Everseau, puis-je vous proposer… du moins si cela ne vous dérange pas… peut-être accepteriez-vous un thé ? »

C'était ce que j'avais espéré : malgré sa réserve naturelle, Mary Watson avait besoin de quelqu'un à qui parler, besoin d'une oreille attentive. Sitôt que nous fûmes assises, elle se mit à me raconter, presque sans encouragement de ma part, comment son mari avait quitté la maison, le mercredi matin, d'excellente humeur, pour ses visites à domicile, suivies, s'il en trouvait le temps, d'un petit passage par son club en fin de journée – et comment, le soir venu, il n'était pas rentré.

« Je lui ai gardé son repas au chaud jusqu'à ce qu'il soit tout racorni, se souvenait-elle, encore incrédule. Je ne me résignais pas à le jeter, parce que c'était reconnaître qu'il avait du retard, un retard de plus en plus anormal, et que je ne voulais pas admettre qu'il avait pu lui arriver quelque chose, Dieu sait quoi. Je me disais : il sera là d'un instant à l'autre. Je voulais le croire. »

Elle l'avait attendu toute la nuit, et au matin elle avait alerté la police – et, bien sûr, Sherlock Holmes. (Elle présumait, à juste titre, que je n'ignorais rien des liens d'amitié entre son mari et le célèbre détective.) La police était arrivée la première, mais lui avait assuré ne rien pouvoir faire à ce stade.

« Ils m'ont dit, en gros : "C'est beaucoup trop tôt. Attendez un peu, il ne serait pas le premier à disparaître un jour ou deux, puis à regagner le domicile conjugal l'oreille basse, après avoir cuvé un petit excès de boisson, ou après un passage dans une fumerie d'opium ou auprès d'une femme légère."

— Ils vous ont *dit* cela ?

— Ils me l'ont laissé entendre, à mots plus ou moins couverts. Comme si je ne connaissais pas John. »

Jusque dans l'indignation, sa voix restait égale et douce. « Par bonheur, Mr Sherlock Holmes est arrivé peu après, et il a immédiatement déclaré qu'il allait ouvrir une enquête.

— Et c'est ce qu'il a fait ?

— Oh ! il m'a bien prévenue : il ne reprendra contact avec moi que lorsqu'il aura du nouveau. Pour l'heure, j'attends un signe de lui.

— A-t-il émis des hypothèses ?

— Il songe à une possible vengeance. À quelqu'un qui se servirait de John pour se venger de lui, Sherlock Holmes. John, pour sa part, n'a pas d'ennemis.

— Pas de patients détestables ?

— C'est toujours une possibilité, en effet. Mr Holmes a pris les fichiers de John pour vérifier. »

Excellente chose : elle n'irait donc pas y rechercher le nom de Viola Everseau.

Je me penchai vers elle. « Et vous, Mrs Watson, vous avez une idée à vous ? »

Son calme apparent se fissura. Elle enfouit son visage dans ses mains. « Je ne veux rien imaginer. »

À cet instant, la bonne réapparut, apportant le thé. Avec un effort manifeste, Mary Watson se ressaisit et, théière en main, changea de sujet. « Vous habitez Londres avec votre famille, miss, euh, Everseau ? »

Je répondis que non, je vivais seule ; que j'avais travaillé dans un bureau, que pour l'heure j'étais sans emploi mais que j'espérais en trouver un du côté de Fleet Street. Toutes choses absolument exactes, non que cela eût grande importance. Si je lui avais dit, je crois, que je montais à cru des chevaux de cirque, elle aurait hoché la tête tout pareil, sans doute, si grande était sa détresse.

Nous sirotâmes notre thé dans un silence embarrassé. Cherchant que dire, je fis l'éloge du petit salon. « Elles sont fort jolies, ces lithographies. J'aime bien ce mélange d'un mobilier confortable avec de légères touches d'art… »

En réalité, c'est Mary Watson que j'aimais bien, Mary Watson qui nous resservait du thé, stoïque, puis promenait les yeux sur son salon comme si elle le voyait pour la première fois.

« Et quelle charmante petite épinette », ajoutai-je. Ayant été gouvernante, elle avait dû passer du temps assise à un clavier de piano, mais je posai la question néanmoins : « En jouez-vous ? »

C'est à peine si elle entendit, la malheureuse. Mais elle marmotta : « Euh, oui. Oui, je… » Puis son regard préoccupé se posa sur le petit bouquet d'anémones qui ornait l'instrument. « Toutes ces fleurs… C'est un réconfort, vous savez, poursuivit-elle, le regard vague. Un petit. Et de la part de parfaits inconnus. Les gens sont si gentils… »

J'acquiesçai poliment, tout en me faisant la

réflexion qu'il lui en fallait bien peu, car il n'y avait pas tant de fleurs que cela. Il y avait mon bouquet, bien sûr – que la bonne, à ma satisfaction, avait disposé dans un vase tel que je l'avais composé. Il y avait une petite botte de muguet fleuri en serre, une façon de souhaiter à Mrs Watson le retour du bonheur. Il y avait les inévitables œillets, il y avait une gerbe de roses blanches, il y avait…

Il y avait, sur une console d'angle, le bouquet le plus insolite qu'il m'eût été donné de voir.

J'eus un sursaut, j'en suis certaine, et j'ouvris sans doute de grands yeux. Mais je me contentai de murmurer : « Oh ! original…

– Quoi donc ? s'enquit Mary Watson, se tournant lentement vers la source de ma surprise. Ah, oui. Inattendu, n'est-ce pas ? Les pavots sont d'ordinaire rouges et ceux-ci sont blancs ; l'aubépine est d'ordinaire blanche et celle-ci est rouge. Quant au brin de verdure, j'ignore ce que c'est.

– De l'asperge ! » m'écriai-je. Ce n'était pas le légume, bien évidemment, le fameux turion qui n'est autre qu'une très jeune pousse ; non, c'était le feuillage vaporeux qui se déploie ensuite sur la tige, fin comme un voile de tulle, d'un vert lumineux. « De la verdure d'asperge, repris-je. Vous savez, quand on laisse la plante se développer. » À ce détail près qu'il était bien tôt en saison pour ce feuillage. À la mi-mars, même les jeunes pousses devaient encore dormir sous terre.

Mary Watson battit des cils. « Bonté divine, vous en savez, des choses. D'où tenez-vous cela ?

— Ma mère était botaniste. » Ce qui était en grande partie vrai, comme pour la plupart des Anglaises de la bonne société. Peindre les fleurs et herboriser faisaient partie des loisirs féminins agréés.

« Et elle a étudié… l'asperge ? Je n'en avais jamais vu en bouquet.

— Moi non plus », dis-je. En réalité, ce brin de verdure n'était pas le plus insolite à mes yeux. Les fleurs l'étaient bien davantage. Et leurs sous-entendus me donnaient la chair de poule.

Je m'efforçai de conserver un ton neutre. « Mrs Watson, connaissez-vous ce qu'on appelle parfois le langage des fleurs ?

— Très peu. J'ai rarement eu l'occasion de faire appel à ce mode de communication, dit-elle avec un humour bon enfant. L'aubépine symbolise l'espoir, que je sache, et le pavot, le réconfort, non ?

— Dans la tradition française, oui. »

Mais nous étions en Angleterre, et dans le folklore britannique, depuis la nuit des temps, l'aubépine a toujours été associée aux sorcières. Aucune femme de la campagne, naguère, n'aurait admis un brin d'aubépine sous son toit : c'eût été porter malheur à la maisonnée entière.

Je me gardai bien de le lui dire. Je fis simplement observer : « Le pavot rouge signifie le réconfort, oui, je crois, mais le pavot blanc est symbole de sommeil.

– Vraiment ? » Elle parut songeuse un instant, puis sourit. « Dormir un peu ne me ferait pas de mal, c'est sûr.

– Mais quel étrange bouquet, répétai-je, me demandant par quel biais en découvrir la provenance. C'est de la part d'amis un peu fantasques, j'imagine ?

– En fait, non. Pour tout vous dire, je ne sais même pas qui me l'a fait porter. Je crois que c'est un jeune garçon qui est venu le livrer.

– Intéressant, dis-je le plus platement possible. Vous permettez ? » Posant ma tasse, je traversai la pièce pour y regarder de plus près.

Intéressant, en effet, pour ne pas dire farfelu. Les pavots avaient dû être forcés en serre chaude – mais à cette époque de l'année, la plupart des fleurs provenaient de serres, il n'y avait donc là rien de bien surprenant. Cultiver des asperges en serre, en revanche, était plus inattendu, sauf à vraiment raffoler de ce légume. L'asperge est un végétal envahissant, or dans une serre la place est comptée. Mais le plus étonnant était l'aubépine. Pourquoi diantre se donner la peine de cultiver en serre un arbuste hérissé d'épines, que mai faisait éclore partout, dans les haies comme dans les jardins ?

Les yeux sur cette aubépine, je fis alors une découverte : à ses rameaux s'entrelaçait une plante volubile, aux fleurs blanches déjà fanées, enroulées sur elles-mêmes comme des ombrelles repliées.

Du liseron des haies ! Plante banale entre toutes – « mauvaise herbe », même –, aux grandes corolles blanches écloses tout l'été. Mais du liseron si tôt en saison ? Non, tout comme l'aubépine, il n'avait pu fleurir qu'en serre. Mieux : il avait dû pousser en compagnie de l'aubépine, pour s'y entremêler de la sorte.

Liseron des haies, *alias* grand liseron… J'essayais de retrouver, dans le langage des fleurs, le sens qu'on lui attribuait. Rien de bon, croyais-je me souvenir. N'était-ce pas : « Espoirs perdus » ? Ou quelque allusion à sa faculté d'étouffer ses hôtes ?

Décidément, ce curieux bouquet ne pouvait provenir que d'un esprit tortueux. Il fallait absolument que je…

Mais alors même que je me retournais pour interroger Mary Watson, la porte du petit salon s'ouvrit brusquement et, sans attendre d'être introduit par la bonne, un gentleman grand et svelte, élégant mais impétueux, surgit dans la pièce tel un aigle fondant sur sa proie – et de l'aigle il avait le profil.

Sherlock Holmes.

CHAPITRE VI

JE RAVALAI UN PETIT CRI, je dois dire, tant de terreur que d'admiration – deux émotions semblant aller de pair chaque fois que j'avais affaire à mon frère. Son visage en lame de sabre était pour moi le plus beau du royaume, ses yeux gris les plus pénétrants, et en toute autre circonstance... Mais ce n'était pas le moment de rêver. J'étais en danger, en sérieux danger, et grande était la tentation de prendre la fuite. Par chance, ma contemplation du bouquet farfelu m'avait acculée contre un mur, m'interdisant tout geste de recul. Et c'était heureux pour moi, parce que mon frère, j'en suis certaine, l'eût immédiatement remarqué.

Or c'est à peine s'il m'accorda un regard et, après plusieurs battements de cœur forcenés, je compris pourquoi. Ce n'était pas sa sœur Enola qu'il voyait là. Et il était clair que cette jeune personne un peu trop pimpante en compagnie de Mrs Watson ne lui plaisait qu'à moitié, car il détourna les yeux résolument. À croire qu'il n'aimait pas ce genre de femme.

Quant à mon petit cri étouffé, il ne risquait guère de l'avoir entendu, car au même instant Mary Watson s'était exclamée avec un sursaut : « Mr Holmes ! » Elle tendit les bras en avant. « Auriez-vous... avez-vous des nouvelles de John ? »

À en juger par sa mine sombre, s'il en avait, elles n'étaient pas bonnes. Il prit les mains de Mary Watson dans les siennes, gantées de chevreau, comme il eût capturé deux colombes apeurées, mais il ne dit rien. Je vis ses lèvres faire « chut ! » en silence et un signe de tête dans ma direction me désigner très discrètement.

« Oh ! quelle étourdie je suis ! s'écria-t-elle, se méprenant. Je ne vous ai pas présentés. »

Ce qui n'était, à l'évidence, pas ce que mon frère cherchait à lui signifier. Il voulait me voir congédier, elle se reprochait d'avoir manqué à la politesse. Libérant ses mains, elle se tourna vers moi.

« Miss... hum... »

Tant qu'à trembler d'émotion, autant en tirer parti. Libérant Mary Watson du souci de retrouver mon nom, je minaudai d'une petite voix aiguë : « *Mr Holmes ?* Est-ce vraiment Mr Holmes, le grand détective ? » Je me précipitai en avant avec mon sourire le plus niais, feignant une agitation de gamine. « Euh... je suis tellement émue ! » piaillai-je de ma voix de tête, plus haute d'un octave que ma voix naturelle. Et, tout en frémissant intérieurement, je serrai à deux mains la grande main gantée de mon aîné. « Oh ! quand je dirai à ma tante que j'ai vu Mr Sherlock Holmes *en vrai* ! »

Mes effusions produisirent l'effet recherché. Un rat d'égout lui sautant sur l'épaule aurait moins horrifié mon frère. Incapable de me regarder en face, il articula d'un ton glacé : « Miss, euh…

– Everseau, miss Viola Everseau, pépiai-je.

– Miss Everseau, puis-je vous prier de bien vouloir nous excuser ?

– Mais naturellement ! Absolument ! Je sais parfaitement que Mrs Watson et vous… Euh, je veux dire, je sais que vous avez à discuter et je… je suis très honorée et ravie de vous avoir rencontré… »

Babillant toujours, je me laissai raccompagner à la porte par la fidèle Rose, apparue à cette fin avec mon manteau sur ses avant-bras.

La porte d'entrée se referma sur moi et je descendis le perron, les jambes molles. J'avais peine à croire que je m'en tirais à si bon compte et redoutais d'entendre dans mon dos : « Enola ? Enola, minute ! Holà ! Qu'on arrête cette jeune femme à perruque ! »

Au lieu de quoi, j'entendis seulement, en tendant l'oreille : « Les nouvelles ne sont pas très bonnes, malheureusement. » Ces mots, bien que prononcés d'une voix sourde, me parvenaient clairement par l'entrebâillement des fenêtres du petit salon. « Mais j'ai tout de même fait une découverte. La sacoche de John, sa sacoche de médecin. »

Je me figeai. Que faire ? M'éloigner ? Impossible. La voix de mon frère et les informations qu'il apportait me clouaient sur place aussi sûrement que l'aimant immobilise l'épingle. Je voulais savoir. Il fallait que je sache. Oui, mais... si j'étais prise à écouter aux fenêtres ?

Feignant de chercher quelque chose dans mes poches, j'inspectai la rue de chaque côté. Rien à signaler, hormis une laitière en livraison et un fiacre au loin. Encore un trait de Londres qui me frappait : dans les bas quartiers, l'agitation était permanente – galopins courant dans la boue, marchands ambulants, ivrognes, mendiants, tous allant et venant sans cesse, sans parler des femmes sur leur pas de porte, échangeant des commérages d'une voix forte. À l'inverse, dans les quartiers résidentiels, les rues semblaient toujours un peu désertes, et celle-là ne dérogeait pas à la règle. Perrons immaculés, portes closes, fenêtres à rideaux de dentelle et sans le moindre carreau cassé... Le seul signe de vie était, derrière la fenêtre en rotonde d'une maison voisine, un serin dans sa cage et, juste en face, un écriteau : « Chambre à louer ».

D'un autre côté, me disais-je, on ne savait jamais qui pouvait être en train d'épier, derrière des rideaux de dentelle...

De nouveau, je fis semblant de palper mes poches,

comme si j'hésitais à repartir de crainte d'avoir commis un oubli.

« Je l'ai trouvée à son club, poursuivait mon frère. Repoussée sous un canapé. Où elle est restée hors de vue jusqu'à cet après-midi.

— Mais jamais John n'aurait laissé... » Mary Watson, à mi-voix, semblait se débattre contre les larmes.

« Absolument. » La voix de mon frère était elle-même chargée de tant d'émotion contenue que j'en fus bouleversée. « Un médecin ne se sépare jamais de sa sacoche, et lui moins que tout autre. »

À ma grande horreur, un petit bruit étouffé m'échappa. Je me sermonnai. *Enola, es-tu folle ? Circule, maintenant !*

Mais je m'éloignai de quelques pas seulement, juste ce qu'il fallait pour n'être pas vue de Sherlock ou de Mary Watson si d'aventure ils jetaient un coup d'œil dehors. Dans cet angle mort, je m'immobilisai. Je me mis à tripoter mes gants, m'efforçant de respirer moins vite et enjoignant à mon cœur de se calmer un peu.

« En tout cas, enchaînait mon frère, je pense qu'à présent nous pouvons écarter l'hypothèse de l'accident. Il a dû être entraîné Dieu sait où par une personne ou par plusieurs, pour une raison qui reste à déterminer. »

La réponse de Mrs Watson fut inaudible.

« Je n'ai bien sûr aucune certitude, reprit Sherlock, mais je dirais que les opposants à la médecine, ceux qui confondent vivisection et chirurgie, pour ne citer qu'eux, sont trop hystériques pour une action organisée ou quoi que ce soit de ce type... Cependant, il ne faut rien exclure. Un ennemi qu'il se serait fait du temps où il était à l'armée, par exemple. J'ai enquêté en ce sens, mais tout me porte à croire que c'est une impasse. Je pencherais plutôt du côté de la pègre, mais pour l'heure mes informateurs n'ont rien trouvé. La seule chose certaine est qu'il a fait une partie de billard à son club et que l'instant d'après... »

Pas d'un cheval, crissement de roues sur le pavé ; une carriole de livraison qui descendait la rue couvrit la voix de mon aîné. Le cocher me jeta un regard lourd. À Londres, une femme sans escorte qui marquait le pas, fût-ce le temps de se moucher, risquait fort de passer pour une dame de petite vertu.

« Ce que je ne comprends pas, disait encore Sherlock, c'est ce silence. S'il a été enlevé, pourquoi n'avons-nous reçu aucune demande de rançon ? Et si c'est une vengeance, pourquoi cette absence de revendication ? En pareil cas, il y a toujours au moins un message de haine, de jubilation malveillante. Vous n'avez vraiment rien reçu ? Rien noté qui sorte de l'ordinaire ? »

Mrs Watson balbutia quelque chose.

« Des fleurs ! » Mon aîné masquait mal une pointe d'agacement. « Mais ce sont des choses qui se font ! Non, pour mettre la police sur l'affaire, il nous faut plus qu'une sacoche sous un canapé ou un bouquet anonyme. Réfléchissez, je vous en prie. N'y a-t-il vraiment rien... »

Elle l'interrompit. Les mots m'échappèrent, mais pas la voix brisée.

« Je vous l'accorde. » La voix de mon frère semblait sur le point de se briser aussi. « S'il y avait eu meurtre, en effet, il pourrait ne pas y avoir de message. Oui, j'y ai pensé. Mais je ne perds pas espoir. Nous n'avons pas le droit de perdre espoir ! Et, croyez-moi, conclut-il avec une sombre ferveur, je n'aurai de cesse que je n'aie découvert le fin mot de cette affaire. »

Le silence retomba. Un brougham[1] passa dans la rue, dont le cocher et les occupants me dévisagèrent avec insistance. Il m'en coûtait de jouer les points de mire, mais l'espoir d'en apprendre plus me soudait sur place.

Mon frère reprit la parole : « Nous devons continuer. Nous acharner. C'est le seul moyen... Vous ne voyez vraiment rien d'autre à me signaler ? »

Silence.

1. Voiture à cheval à deux ou quatre roues, à caisse basse.

« Avez-vous reçu des visites ? Autres que celle de cette jeune minaudière, à l'instant ? Qui est-elle, à propos ? »

Aïe, aïe ! Cette fois, il était temps de disparaître. Je repartis donc vers le bas de la rue, veillant à marcher comme préconisé dans le *Manuel des usages pour dames*, d'un pas « posé, pondéré », laissant bien voir que je savais quelle était « ma place »... J'attendis d'avoir tourné dans la rue suivante pour oser reprendre souffle.

La liste des suspects dressée par mon frère comptait-elle une nouvelle personne, une certaine « jeune minaudière » ? J'espérais que non, et doublement : il avait mieux à faire, dans son enquête, que de s'égarer sur une fausse piste !

Et pourtant, il s'égarait, me disais-je tout en m'engageant dans une avenue animée, festonnée d'un bout à l'autre d'échoppes et de magasins. (« La femme de bonne éducation ne s'attarde jamais devant les vitrines, pas même lorsqu'elles exhibent les plus fines parures. Elle croise les messieurs sans les regarder, veillant cependant à les voir... ») Oui, mon frère s'égarait, parce que, malgré son intelligence pénétrante, il s'entêtait à ignorer l'univers féminin. Et notamment les messages que pouvaient transmettre les fleurs.

« Un message de haine, de jubilation malveillante » ? Pour moi, il avait bel et bien été délivré. Sous forme d'un bouquet d'aubépine rouge, de pavots blancs, de liseron des haies et de feuillage d'asperge...

Ce feuillage d'asperge m'intriguait ; je n'avais pas de sens à lui attribuer. Pour le reste, j'aurais juré que ce bouquet déconcertant ne provenait pas du monde du crime et des truands – de « la pègre », comme disait mon frère. D'ailleurs, en pareil cas, le message de haine jubilatoire aurait été adressé à Sherlock plutôt qu'à Mary Watson. Et je n'y voyais pas non plus le message d'un ennemi que Watson se serait fait à l'armée. Non, ce bouquet provenait d'une personne trop excentrique, trop peu conformiste pour avoir sa place longtemps à l'armée ou dans le milieu des voyous. Il provenait de quelqu'un d'un peu extravagant, de pointilleux jusque dans la rancœur, et en même temps de créatif, se délectant d'une étrange forme horticole de malveillance. Quelqu'un d'assez motivé dans cette virulence botanique pour aller jusqu'à cultiver de l'aubépine en serre...

CHAPITRE VII

MAIS COMMENT DIABLE remonter jusqu'à cette intéressante personne ?

Trois plans d'action me venaient à l'esprit. Et si le premier manquait de réalisme – localiser, puis inspecter toutes les serres chauffées de Londres –, l'un des deux autres semblait plus prometteur. Bien décidée à le mettre en œuvre sans tarder, je commençai par me trouver un endroit où m'asseoir et griffonner.

Comme il faisait beau, je jetai mon dévolu sur un banc public, à proximité de l'une de ces toutes nouvelles fontaines d'eau potable installées dans l'ouest londonien, à peu près aussi élégantes que des monuments aux morts et surmontées de créatures ailées en plein essor. Sous cette envolée grandiose s'évasait un bassin de bronze – qui se voulait coquille Saint-Jacques mais faisait plutôt songer à un de ces gros champignons qui parasitent les troncs d'arbres –, et dans cette sorte de bénitier un dauphin bossu crachait sans relâche de quoi désaltérer le passant. Juste au-dessous, une vasque plus large mais non moins ornée s'offrait, je suppose, à la soif des chevaux, tandis qu'une autre encore, plus bas, devait être réservée aux caniches, aux chats de gouttière et aux rats d'égout. Je m'assis donc face à ce monument à la gloire de l'hygiène publique et, munie d'un crayon et d'un bout de papier, m'efforçai de me concentrer. J'avais en tête une petite annonce à placer dans les journaux londoniens... Après plusieurs essais, je parvins à réduire la chose à sa plus simple expression :

« Aubépine, asperge, liseron, pavots : que voulez-vous ? Répondre dans cette rubrique. M.M.W. »

Les initiales étaient celles de Mary Morstan Watson, comme si la question émanait d'elle.

J'imaginais – j'espérais – que l'expéditeur du bouquet bizarre était à l'affût de ce genre de réaction, par le biais des Avis personnels dans les journaux. Sinon, où était l'intérêt d'envoyer des messages fielleux ? Où était le plaisir, si l'on se gardait tout le fiel sans escompter de réponse ? L'expéditeur du bouquet avait bien dû se figurer que Mrs Watson saurait l'interpréter. Sinon, encore une fois, à quoi bon l'envoyer ?

Mais que pouvait donc désirer cette personne mal intentionnée ? Le versement d'une rançon, peut-être autre que monétaire ? Des excuses publiques, une humiliation, à titre de revanche contre quelque dommage, réel ou supposé, imputable au Dr Watson ?

Tout était envisageable.

Persuadée d'avoir, à ce stade, fait ce qui était en mon pouvoir, je recopiai le message en de multiples exemplaires, chacun d'eux destiné à l'un des innombrables quotidiens et hebdomadaires londoniens. Après quoi, je sautai dans un tram – ce que j'avais appris à faire, comme toutes les jeunes femmes ingambes de la ville, sans arrêter les chevaux – et, pour un penny, m'offris une petite balade dans Londres à destination de Fleet Street.

Bien des fois déjà, j'avais mis les pieds dans les bureaux de divers journaux de Fleet Street, où divers employés m'avaient reçue avec diverses versions de l'indifférence polie. Ce jour-là, à ma surprise, ces messieurs, quoique toujours polis, se montrèrent moins indifférents. Tout à mon affaire, j'avais oublié mon apparence, si bien que c'est avec un temps de retard que je saisis le pourquoi de pareil empressement.

Dieux du ciel ! me dis-je lorsque je me souvins que je portais perruque et autres enjolivements. Quels grands benêts !

Le temps de déposer un peu partout – et de régler dûment – ma petite annonce, et le jour déclinait. Je me sentais moi-même bien lasse, mais il n'était pas question de me reposer, pas encore. Au contraire, il était grand temps de mettre en œuvre la deuxième partie de mon plan d'action en vue d'identifier l'expéditeur du bouquet louche.

On ne cultive pas en serre chauffée de l'aubépine entrelacée de liseron pour un unique moment de triomphe. Quand on a tant d'aigreur sur le cœur, raisonnais-je, on fait durer le plaisir, on le renouvelle. Tout me portait donc à penser que l'expéditeur anonyme allait de nouveau envoyer un message floral venimeux. Et je tenais à assister, incognito, à la livraison.

Pour ce faire, j'avais mon idée. Il me fallait revenir sur les lieux. La nuit qui commençait à tomber faisait sur ce point mon affaire : Mary Watson ne risquait plus guère de me surprendre et de s'étonner de mon retour dans sa rue. Pour me cacher mieux encore, je pris un fiacre.

Je le priai de s'arrêter devant ma destination et de m'attendre – de sorte que son véhicule, une confortable voiture de place à quatre roues, faisait écran entre moi et la résidence de Mr John Watson, docteur en médecine. Car la maison indiquant « Chambre à louer » était située juste en face, ou peu s'en fallait, de celle des Watson.

Mentalement, tout en soulevant le marteau de porte, je priai le ciel que cette chambre à louer eût une fenêtre sur la rue.

C'était le cas. Parfait !

Parfait, je m'empresse de le préciser, uniquement sur ce point crucial. Sur tous les autres, c'était plutôt l'horreur : une pièce glaciale, chichement meublée, lugubre ; un lit aussi moelleux qu'une planche à pain et à peine moins exigu ; et, pour couronner le tout, une logeuse au regard de glace, qui réclamait, pour la semaine, un loyer digne d'un palace. Rien d'étonnant si cette chambre n'avait pas encore trouvé preneur ! Je marchandai sur le prix, je marchandai sur les termes, mais c'était purement pour la forme. Cette chambre, j'aurais pu la louer pour dix ans, grâce aux fonds que Mère avait trouvé le moyen de me laisser… Quoi qu'il en soit, quelques minutes plus tard, je tendis mon loyer à la mégère et reçus la clé en échange.

L'idée était d'être sur place le lendemain matin, pour la prochaine (et supposée) livraison de bouquet suspect, juste en face. Et j'enrageais à la pensée que peut-être, en mon absence, cette livraison avait déjà eu lieu. Mais si tel était le cas, je voulais croire qu'il viendrait un autre bouquet. Celui-là, je tenais à le voir arriver.

Il ne me restait plus qu'à retourner chercher mes affaires. Je repris donc mon fiacre et me fis déposer à Aldersgate. Là, ayant soin de changer de station de fiacres, je pris une autre voiture. C'étaient des complications, tous ces changements, mais pareil luxe de précautions m'était devenu une seconde nature. Je ne devais jamais oublier qu'un cocher peut se faire interroger et que j'étais une fugitive, activement recherchée par le plus grand détective du monde.

Je me fis déposer par ce deuxième fiacre à l'entrée d'une ruelle de l'East End qui ne voyait guère passer de véhicules de ce genre : celle de mon modeste gîte. Je priai le cocher de m'attendre et courus à mon immeuble, puis montai l'escalier quatre à quatre rassembler quelques effets tout en articulant très fort, pour une Mrs Tupper aussi ébahie que soupçonneuse, plantée à l'entrée de ma chambre : « Jeu-vais-pas-ser-quel-queu-jours-chez-ma-tante !

— Heh ? disait-elle, son cornet acoustique braqué sur moi.

— Jeu-vais-ren-dreu-vi-site-à-ma-tante !

— Heh ? » Elle ouvrait grand ses yeux pâles, comme pour mieux entendre, mais ne comprenait toujours pas et se retenait d'approcher.

Il faut la comprendre, la malheureuse. Dans cette chambre occupée depuis des mois par une grande fille timide et plutôt casanière, elle voyait à présent une jolie jeune femme bourrer de vêtements deux sacs de voyage et se demandait sans doute si elle n'était pas en train de devenir folle – ou si c'était moi qui l'étais, et s'il ne valait pas mieux alerter la police, au cas où je serais devenue un danger public.

« Pardon ? Vous allez où ? À une heure pareille ? »

Alors je criai directement dans son cornet : « Je ! vais ! chez ! ma ! tante ! »

Là-dessus, un sac au bout de chaque bras, je lui filai sous le nez et dégringolai l'escalier.

L'aube du lendemain – un dimanche – me vit très occupée à me mettre du rouge aux joues, un grain de beauté sur la tempe, de la poudre de riz pardessus et d'autres ornements destinés à me permettre d'aborder la journée sous les traits de la charmante Viola Everseau. C'était une plaie, ce nouveau déguisement. Les honnêtes femmes qui, partout dans Londres, s'apprêtaient pour l'office du dimanche ne se donnaient pas moitié autant de mal. Au moins, ma perruque n'avait pas besoin de se refaire une beauté, elle, pas encore. Perchée sur l'une des colonnes de mon lit – car je ne voyais aucune urgence à me coiffer de cette chose lourde et qui tenait chaud au crâne –, elle avait même déjà sa capeline épinglée en place. Afin de n'être pas vue sans cette chevelure d'emprunt, j'avais prié ma logeuse, la veille, de déposer à ma porte le plateau de mon breakfast. En attendant, corsetée de manière à me faire l'indispensable silhouette en sablier, et vêtue d'une robe de jour vert Paris (également nommé vert arsenic, quelque part entre vert mousse et vert pois cassé), à manches bouffantes et jupe à plis, j'étais assise à la fenêtre, derrière les rideaux de dentelle, jumelles de théâtre à la main.

Pour ce qui était de me cacher derrière ces rideaux, seule mon installation précipitée m'y contraignait. Dans quelques jours, si j'étais toujours là, il m'importerait peu d'être vue de Mary Watson. Au contraire, je pourrais même aller lui rendre visite et lui dire quelle chance j'avais eue de repérer cet écriteau « Chambre à louer » lors de ma venue chez elle, alors que justement je cherchais à me loger ! Et avait-elle du nouveau, concernant le Dr Watson ?

D'un autre côté, j'espérais vivement que cette surveillance ne durerait pas des jours et des jours, d'autant qu'au bout d'une heure et demie j'étais près de mourir d'ennui. Les beaux quartiers étaient bien trop calmes.

Une lente succession de fiacres impeccablement astiqués – l'autorisation de circuler le dimanche exigeant sans doute certaines vertus de sainteté – achevait de ramener au logis les fidèles pratiquants de la rue – dont Mrs Watson – après leurs dévotions dominicales.

Mary Watson, je le notai, prit le temps de caresser le chanfrein du cheval. Peu de femmes avaient ce geste, qui risquait de souiller leurs atours. Je la suivis des yeux, admirative et le cœur serré : elle était tout de noir vêtue, comme si elle portait déjà le deuil.

Les bons paroissiens rentrés chez eux, je continuai de monter la garde derrière mes rideaux une heure durant, suçotant des pastilles au citron et m'amusant des déformations créées par les défauts de la vitre. Il faut avouer que, derrière les carreaux, il ne se passait pas grand-chose.

Sur le coup de midi vint à passer une petite vieille toute voûtée, au châle traînant presque par terre, avec un grand panier de violettes en pauvres bouquets maigriots, qu'elle proposait de porte en porte.

Hormis une bataille de moineaux dans la gouttière, ce fut tout avant une bonne demi-heure.

Puis une charrette à eau passa au petit trot, son cheval portant bien haut sa jolie queue tressée, spectacle fort plaisant à l'œil jusqu'au moment où on découvrait que l'équidé, tout en trottinant, semait de petites boules de crottin. L'ironie de la chose était que ladite charrette avait pour mission de nettoyer les rues de Londres, souillées en permanence d'une fange qu'aucune limace se respectant n'aurait accepté de fouler. Le nettoiement des chaussées était une tâche sans fin, dimanches inclus, les chevaux n'ayant aucun égard pour le jour du Seigneur. Or chacun d'eux produisait, au bas mot, quelque quarante-cinq livres de crottin par vingt-quatre heures – du moins si l'on en croyait ma mère…

Ne pas penser à Mère.

Machinalement, de mes doigts désœuvrés, je tirai sur la broche qui ornait l'avant de ma robe, dégainant la petite dague qui avait pour fourreau le busc de mon corset et pour pommeau une opale. D'une main distraite, je la soupesai, la faisant osciller doucement. Son rôle était de me rassurer. Je ne tenais surtout pas à m'en servir, même si j'avais dû le faire une fois, visant les bras, contre un étrangleur. Une autre fois, un agresseur avait cherché à me poignarder, mais mon corset l'en avait empêché. Ainsi convaincue des vertus de l'objet, blindage efficace contre les éventreurs – le fameux Jack ou ses émules –, je m'en étais aménagé plusieurs à ma façon. Non seulement leurs baleines, raccourcies par mes soins, ne risquaient pas de m'étouffer ni de me transpercer les aisselles, mais encore leur coffrage étudié, non content de renforcer ma silhouette aux endroits voulus, me permettait de porter sur moi, en guise de capiton, tout un attirail de survie, sans parler d'une petite fortune en billets de la Banque d'Angleterre, don de ma mère avant son départ…

Ne pas penser à Mère !

Renfonçant ma petite dague entre les boutons de ma robe, je passai en revue, mentalement, les autres articles camouflés là, sous les diverses coques de mon blindage. Petit rouleau de gaze, ciseaux miniatures, minuscule flacon de teinture d'iode, mi-bas de rechange, fil à coudre, aiguille...

En cape bleue et coiffe des dimanches, une nourrice passa sur le trottoir, poussant d'une main un gros landau surmonté d'une ombrelle et tenant de l'autre la menotte d'une toute petite fille en rose et blanc.

Bâillement.

... Nous disions donc, aiguille et dé à coudre, fichu, fausses bouclettes, pince-nez, petite loupe, flacon de sels, pastilles de miel, biscuits secs...

Au coin de la rue surgit soudain un gamin dépenaillé, portant un bouquet de fleurs plus grand que lui – et j'en oubliai tout le reste, inventaire et bâillements compris. Collant mes yeux sur mes jumelles de théâtre, je m'efforçai de mieux voir ces fleurs. Mais le galopin, en enfant des rues, traînait ce pauvre bouquet tête en bas, à la façon d'un balai ou comme s'il risquait de mordre. Faute de distinguer les fleurs, je me contentai, à ce stade, de noter la tenue du garçon et sa grosse bouille un peu nigaude. Il s'arrêtait, bouche entrouverte, devant chaque bâtisse, comme pour déchiffrer le numéro sur la porte.

Rien ne prouvait d'ailleurs qu'il cherchait la maison Watson. Peut-être n'était-il...

Mais tout en moi protestait : *Bien sûr que si, c'est là qu'il va – combien je parie ?*

C'était là qu'il allait.

Je le vis se figer, scruter longuement le numéro à droite de la porte, puis gravir le perron d'un pas résolu.

Alors seulement, comme il me tournait le dos, je pus examiner aux jumelles la composition du bouquet.

Cytise.

Campanule.

Grand liseron de nouveau.

De nouveau feuillage d'asperge.

Ramilles de cyprès.

Juste ciel !

Déposant mes jumelles, je sautai sur mes pieds, me coiffai de ma perruque à la diable (capeline, foulard et le reste), enfilai mon manteau et dégringolai l'escalier, désertant mon gîte temporaire dans l'espoir d'attraper ce gamin sitôt sa livraison assurée.

CHAPITRE VIII

Le cytise est un gracieux arbuste, et ses cascades de fleurs jaune vif lui ont valu le surnom de « pluie d'or ». Malgré quoi – est-ce son port pleureur ou le fait que toutes ses parties sont toxiques ? –, le langage des fleurs ne lui accorde pas la part belle : abandon, chagrin, dissimulation, voilà ce que le cytise signifie.

La campanule bleue, longtemps associée aux sorcières, n'a guère meilleure presse que lui. Elle est censée annoncer la souffrance et le découragement.

Quant au cyprès, arbre funéraire, il est depuis l'Antiquité symbole de deuil et de mauvais augure.

Autrement dit, sans même parler du grand liseron et de ce feuillage d'asperge qui refusait de me livrer son sens, l'envoi m'avait l'air signé. L'expéditeur, à n'en pas douter, était celui du premier bouquet loufoque, et plus que jamais je m'interrogeais : et si ce malveillant donateur était aussi à l'origine de la disparition du docteur ?

Mais j'eus beau me hâter, lorsque je déboulai sur le trottoir, ce fut pour voir ce damné gamin, arrivé d'un pas de tortue, détaler comme un lapin vers le bas de la rue et disparaître au premier carrefour.

Oh non. Non ! Il n'allait tout de même pas m'échapper ? Rassemblant à deux mains les plis de ma jupe, je m'élançai à sa poursuite.

La nature m'a pourvue de longues jambes et j'ai toujours adoré courir – courir et grimper aux arbres, à la consternation des adultes. Mais ces satanés jupons entravaient ma course, et les tenir à deux mains m'interdisait de « ramer » l'air de mes bras. Bien pis, mes épaules oscillaient de droite et de gauche et j'allais tête baissée, ce qui devait me faire ressembler à une grande oie verdâtre, une oie très, très pressée.

Les passants me regardaient, choqués, mais à vrai dire je ne m'en souciais guère. Je revois vaguement cette brave dame changée en statue de sel, ses mains gantées de soie sur sa bouche entrouverte, mais je ne saurais dire comment réagirent les messieurs – car bien évidemment on devait apercevoir mes chevilles. Or laisser entrevoir ne fût-ce qu'un soupçon de cheville était alors d'une indécence extrême, même si les robes du soir, à l'inverse, vous décolletaient la gorge à vous faire risquer la pneumonie.

Mais je me souciais peu de ce que pouvaient penser les quelques témoins de la scène – et moins encore lorsque, passant le coin de la rue, je revis mon garnement qui caracolait à courte distance.

Je l'appelai : « Hé, petit ! »

Je n'y avais mis aucune agressivité, bien au contraire. Je pensais donc le voir se retourner, s'arrêter, ce qui allait me permettre de l'interroger gentiment, puis de le récompenser d'une piécette. Mais pensez-vous ! Il me jeta un coup d'œil par-dessus son épaule, eut une espèce de grimace d'effroi et déguerpit comme un lièvre.

Petite tête sans cervelle, qu'est-ce qui lui prenait donc ?

« Petit ! Hé, arrête-toi ! Reviens par ici ! »

J'accélérai ma course à mon tour, et ne tardai pas à gagner du terrain – en quoi je n'avais aucun mérite, le pauvre mioche étant de ces gamins rachitiques à genoux cagneux comme j'en voyais tant dans mon quartier. Je l'aurais sans nul doute rattrapé s'il n'avait filé droit vers le marché de Covent Garden, se jetant comme un possédé dans la rue la plus encombrée. Là, délaissant le trottoir, il se mit à courir sur la chaussée, et à se faufiler comme une anguille entre les carrioles, les fiacres, les charrettes de légumes, presque sous les sabots des chevaux. Être né dans ces rues lui donnait l'avantage sur la fille des champs que j'étais, manquant encore un peu d'expérience pour éviter les omnibus lancés au trot ! J'avais beau tenir bon, le petit galapiat menait la danse, et pour finir je le perdis de vue tout à fait.

À l'angle de rue où il venait de disparaître, je m'arrêtai, les joues en feu, un peu hors d'haleine, tenant encore mes jupes d'une main tandis que l'autre s'efforçait de dompter ma perruque, laquelle m'avait tout l'air décidée à reprendre son indépendance. Stupide objet ! J'aurais mieux fait, malgré l'inconfort qu'il m'infligeait, de m'en coiffer d'avance et de l'arrimer à l'aide d'épingles à cheveux, comme la veille ! Trop essouflée pour pester à voix haute, je jurais en pensée tant et plus, cherchant des yeux quelle direction le polisson avait pu prendre.

Je fus sur le point de renoncer. En fait, je renonçai bel et bien. Avec un soupir de défaite, je laissai retomber les plis de ma jupe – ma pauvre jupe crottée d'éclaboussures –, afin de cacher au moins mes chevilles ainsi que l'exigeait la décence. Puis, sans me soucier du regard sourcilleux des promeneurs endimanchés, je m'attaquai, des deux mains, à ma perruque fuyarde. Pour ce faire, je la soulevai discrètement…

« Nooon ! hurla une petite voix suraiguë à deux pas de là. Nooon ! »

Avec un sursaut, je cherchai d'où provenait ce cri de terreur – et découvris mon polisson, celui-là même que j'avais pris en chasse, accroupi sous un étal vide, tout recroquevillé devant la porte close d'un marchand de chandelles. Sans le savoir, en m'arrêtant là, je lui avais coupé toute retraite, mais je ne l'aurais sans doute pas repéré s'il n'avait poussé ce hurlement.

« Nooon ! répéta-t-il, terrorisé. Non, s'iou plaît, pas ça ! »

Je me figeai, une main de chaque côté de la perruque. « Pas *quoi* ? » m'entendis-je demander. Je ne voyais vraiment pas ce qui pouvait l'épouvanter tant.

Il reprit sa supplique : « Non ! Enl'vez pas vos ch'veux ! Enl'vez pas vot' nez !

— Ah bon », dis-je, hochant la tête lentement, comme si je comprenais fort bien. À l'évidence, ce pauvre gamin était un petit demeuré. Il fallait l'aborder avec ménagements. M'interdisant tout mouvement brusque, comme face à un animal acculé, je laissai ma perruque retomber sur mon crâne à sa guise. « D'accord, acquiesçai-je. Il n'y a pas de mal... Veux-tu un penny ? » Je plongeai la main dans ma poche et y pêchai deux ou trois piécettes.

Au tintement de la monnaie et à la vue du métal brillant, le gamin parut se calmer, ou du moins reporter son attention ailleurs que sur ma perruque. Je repris de ma voix la plus douce : « Je voulais juste te dire un mot ; tu veux bien sortir de ton trou !

— Non.

— Bon. Dans ce cas, c'est moi qui m'approche. »

Et je m'accroupis devant sa cachette, ma jupe en corolle autour de mes jambes repliées à la façon d'une sauterelle. La situation me paraissait délicieusement absurde, mais je la savais risquée aussi. Autour de nous, la stupeur scandalisée des rares passants était palpable, et je les sentais faire un pas de côté, comme si ma conduite excentrique risquait d'être contagieuse.

Deux ans auparavant, lors du jubilé de la reine, une dame avait mis un genou en terre dans l'une des allées du Crystal Palace, le temps de glisser dans sa bottine une brindille de sapin ; peu après, elle s'était retrouvée dans un asile d'aliénés. Placée là par son mari. Il n'était pas rare alors qu'une femme fût envoyée à l'asile pour « conduite incongrue » – laquelle pouvait consister, simplement, à lire des romans jugés osés, à refuser d'obéir, à contester l'autorité maritale. Faire emmener sa femme par des hommes en blouse blanche dans une calèche aux rideaux tirés était une façon élégante de se défaire d'elle, dès lors qu'elle devenait encombrante pour une raison ou pour une autre. Divorcer, en revanche, relevait du scandale.

Par bonheur pour moi, je n'avais pas de mari, me disais-je en prenant position face à mon petit gibier, comme si nous étions deux enfants prêts à jouer à pigeon vole.

« Bonjour, commençai-je, prenant un penny entre mes doigts. Enchantée de faire ta connaissance… Tout à l'heure, par hasard, je t'ai vu apporter un très joli bouquet chez les Watson…

— Connais pas d' Watson, dit-il d'un ton méfiant, les yeux sur la pièce de cuivre.

— Comment as-tu trouvé la maison où livrer ton bouquet, alors ?

— L' monsieur m'avait dit l' numéro.

— Quel monsieur ?

— Çui-là qu'a enl'vé son nez. »

Je me sentis un peu dépassée. Une fois de plus, je hochai la tête d'un air entendu, et décidai de glisser sur cette histoire de nez enlevé. « Et comment le connais-tu, ce monsieur ?

— Y m'a appelé. » Tout en parlant, il imitait ce geste du doigt avec lequel une personne d'autorité signifiait à un gamin d'approcher, d'ordinaire pour lui réclamer un menu service.

« Et il était à pied, ce monsieur ? En cabriolet ?

— Non ! En belle voiture, avec des ch'vaux. »

Je me retins de lui dire que le cabriolet est une belle voiture tirée par des chevaux et demandai : « Un phaéton ? Un brougham ?

— Sais pas c' que c'est, un "brom". Une belle voiture noire, c'était. Avec du jaune aux roues. »

Description pouvant s'appliquer à une bonne

moitié des voitures dans Londres. Je refis un essai : « Avec des armoiries ?

— Armoire, non. Mais y m'a donné l' bouquet et un *tuppence*[1] avec. »

Il s'apprivoisait un peu ; une chance pour moi, car je ne savais trop comment interroger cet enfant dont le monde différait tant du mien. « Et… euh, à quoi ressemblait-il, ce monsieur ? »

Il hésita. « À un m'sieur. Pareil que les autres. Sauf que son nez s'enl'vait.

— Son nez s'enlevait ? » Je faisais de mon mieux pour conserver un ton naturel, comme si le nez amovible était une commodité courante.

Apparemment, je l'avais mis en confiance, ou peut-être était-il si choqué par le souvenir du nez qui « s'enl'vait » qu'il ne pouvait se retenir d'en parler. Toujours est-il qu'il lâcha d'un trait : « C'est plutôt qu'il l'a fait tomber en s' cognant à la portière, quand il a rentré la tête, après m'avoir donné les fleurs. Et l' nez lui est tombé sur les g'noux, et moi, ça m'a fait peur, mais lui, lui, il a pris c' nez dans sa main et il a commencé à m' crier après en s'couant c' nez, et y m' disait d'aller porter ces fleurs et vite, hein ! parce que sinon, y m'arrach'rait mon nez à moi, et mes yeux aussi, et mes oreilles !

— Hmm… Et il saignait, ce nez ?

1. Une pièce de deux pence. (Déformation de *two-pence*.)

— Non ! » Le gamin se remit à trembler. « Non. Comme si sa tête était en cire !

— Mais qu'est-ce qu'il avait, alors, à la place du nez ?

— Rien ! J' veux dire, un trou ! Comme sur un crâne de mort !

— Un *trou* ? »

Mais le gamin – quel âge avait-il, neuf ans peut-être ? – était repris de tremblements convulsifs. « S'iou plaît, enl'vez pas vot' nez, enl'vez pas vos ch'veux, rien !

— Bien sûr que non, pourquoi voudrais-tu que je le fasse ? Et… ce monsieur… Il l'a remis, son nez, ensuite ?

— J'en sais rien ! J'ai couru porter les fleurs où y m'avait dit, et après ça, c'est vous qui m'avez couru après ! » Il pleurait, à présent, et ce n'étaient pas les pleurs de protestation d'un garnement, c'étaient des sanglots de détresse. Sa rencontre insolite, manifestement, l'avait jeté dans le désarroi. « Pourquoi vous m'avez couru après, hein ?

— Je… c'était une erreur. Je suis désolée. »

Je me redressai, soudain gênée par les regards qu'on me jetait au passage, et glissai à l'enfant un *six-pence* au lieu d'un penny, parce que je m'en voulais d'avoir ajouté à sa détresse. À l'évidence, je ne tirerais de lui plus rien de sensé.

Sensé ? Y avait-il du sens à ce que je venais d'entendre ?

CHAPITRE IX

AYANT REGAGNÉ MES PÉNATES TEMPORAIRES par le chemin le plus discret possible, je sonnai pour demander de l'eau chaude. Je fis ma toilette, me changeai, nettoyai de mon mieux ma pauvre jupe souillée et mis de l'ordre dans ma chevelure. Plus exactement, ma perruque sur la colonne du lit, je la brossai, puis replaçai ses mèches avec art. Et tout en m'activant, je réfléchissais.

Ou, plus exactement, je m'efforçais de réfléchir. Et butais sans trêve sur cette question : comment cet inconnu pouvait-il avoir « enl'vé son nez », ou plutôt l'avoir fait tomber par mégarde ? Je me souvenais vaguement de l'histoire d'un astronome danois, à la Renaissance, qui avait perdu le sien dans un duel à l'épée. Mais on ne se battait plus à l'épée, et d'ailleurs les duels étaient interdits en Angleterre, quoique pratiqués encore sur le continent, dans certains pays arriérés… Même au pistolet, me disais-je, on devait pouvoir se faire emporter le nez. L'astronome en question – Tycho Brahé, son nom me revenait à présent – s'était fait confectionner à la place un nez d'argent. Et pourquoi pas d'or ? me disais-je, piquant des épingles dans ma perruque ; c'était au moins d'aussi bon goût… Des hommes ainsi défigurés, tout bien réfléchi, il devait s'en trouver en Angleterre à l'époque actuelle – défigurés par blessures de guerre et non à la suite de duels. Mutinerie indienne, seconde guerre afghane, ce genre de choses. Assurément, ils ne portaient pas des nez d'argent ni des mentons d'argent ou des oreilles d'argent. En quoi donc…

On avait frappé à ma porte. C'était la petite bonne de ma logeuse – une gamine chétive qui devait avoir douze ans au plus –, venue s'enquérir à travers la porte : « Voulez-vous dîner, miss Everseau ?

– Oui, je descends tout de suite. » Si le caractère de ma présente logeuse était moins agréable que celui de cette brave Mrs Tupper, sa cuisine, en revanche, l'était nettement plus.

Pendant ce temps, j'envoyai la petite m'acheter la presse du soir, et lorsque je regagnai ma chambre après un excellent dîner de gigot d'agneau à la menthe, j'allumai ma lampe à gaz – quel luxe, ces flots de lumière, même si la tuyauterie sifflait et crachouillait comme un vieil asthmatique ! Assise dans le moins inconfortable des deux fauteuils de la pièce, je passai en revue les journaux, recherchant d'abord d'éventuels développements de l'affaire Watson (rien de nouveau), puis vérifiant que ma petite annonce était passée.

« Aubépine, asperge, liseron, pavots : que voulez-vous ? Répondre dans cette rubrique. M.M.W. »

Elle était bien là.

Intéressant, me disais-je, que l'expéditeur du bouquet saugrenu – dont je laissais de côté pour l'heure le nez amovible – fût un homme. Les fleurs, d'une manière générale, étaient plutôt considérées comme du domaine des dames, sauf peut-être les orchidées, que certains excentriques férus des travaux de Mendel s'affairaient à hybrider en serre chaude. D'un autre côté, à la réflexion, tout homme ayant courtisé un jour avait bien dû apprendre au moins les rudiments du langage des fleurs, ne fût-ce qu'auprès de sa fleuriste. Dieu merci, j'avais cette chance d'avoir pour frères des célibataires endurcis, donc ignorant tout de la chose... Assurément, Sherlock, qui surveillait les petites annonces, n'allait pas manquer de relever celle-ci, et d'imaginer, à tort, quelque rapport avec Mère et moi. Je le voyais mal en deviner plus. Ce qui me tracassait davantage, c'était l'homme à l'aubépine. Consultait-il les petites annonces ? Allait-il répondre ?

En attendant, je me mis en devoir de lire ces journaux en détail. J'avais été trop occupée, depuis l'avant-veille, pour me tenir au courant des nouvelles du vaste monde. Mais il y avait beaucoup à lire, et je m'aperçus au bout d'un moment que je promenais mes yeux sur les lignes sans même chercher à comprendre. Étouffant un bâillement, je résolus de m'en tenir là. Un coup d'œil aux Avis personnels de la *Pall Mall Gazette*, et je n'aurais plus qu'à jeter tout ce papier au feu…

C'est alors que je tombai sur ce message :

422555 – 415144423451 22231142511523 5315 2415114341 11121251315415511544513351 4354 5411 311133533342232351

Hé ! mais…

Dieux du ciel ! Tout sommeil oublié, le cœur tambourinant, j'attrapai du papier, un crayon.

Je commençai par répartir l'alphabet sur cinq lignes :

ABCDE
FGHIJ
KLMNO
PQRST
UVWXYZ

Puis je m'attaquai au premier mot. Quatrième ligne, deuxième lettre, Q. Deuxième ligne, cinquième lettre, J.

QJ ?

Stupide ! Je repris posément. Quatrième lettre de la deuxième ligne, I. Deuxième lettre de la cinquième ligne, V. Cinquième lettre de la cinquième ligne, Y.

IVY. C'était pour moi, bel et bien.

Le chuchotis du gaz dans sa plomberie était comme un fantôme dans la pièce. Un corset invisible m'enserrait les côtes, et c'est à peine si je respirais tout en déchiffrant. Mais je n'en eus pas pour longtemps.

IVY – DÉSIRE GLAÏEUL OÙ QUAND AFFECTUEUSEMENT TA CAMOMILLE

Le meilleur et le pire des messages.

Ne pas penser à Mère n'était plus chose possible.

Je dormis fort peu, cette nuit-là. En vérité, si je n'avais laissé chez Mrs Tupper certaine tenue sombre et couvrante, je n'aurais même pas essayé de dormir. Je me serais mise en marche le long des rues, à la recherche de ceux qui avaient eu moins de chance que moi dans la vie, afin de leur glisser quelques shillings et un peu de nourriture. Une goutte dans la mer, je le savais, mais ces tournées nocturnes m'aidaient à songer à autre chose qu'à mes petits soucis. Au diable Viola Everseau qui me l'interdisait ! En lieu et place, allongée sur ce lit qui ne valait guère mieux qu'une couchette de détenu, je me débattais avec mes pensées occupées à tourner en rond.

Était-ce donc le monde à l'envers ? Jamais encore ma mère n'avait pris l'initiative d'un échange. C'était toujours moi qui avais lancé le premier message.

Non, ce ne pouvait être qu'un piège. Comme la dernière fois, pour ce rendez-vous que Mère m'avait prétendument fixé – et qui provenait de Sherlock, en réalité. La seule différence était que, cette fois-ci, Sherlock semblait maîtriser le langage des fleurs et disait « glaïeul » au lieu de « rendez-vous », par exemple…

Sherlock ? Comme s'il avait du temps à revendre, ces jours-ci, avec son ami Watson disparu ! Non, non, ce ne pouvait être lui.

Peut-être était-ce bien Mère, après tout.

En ce cas, elle devait avoir des ennuis ; c'était la seule explication.

Mais non ! S'il y avait eu urgence, pourquoi me demander « où » et « quand » ? Elle aurait elle-même fixé le lieu et le moment du rendez-vous.

Curieux, cette façon de me laisser le choix. N'était-ce pas la preuve qu'il s'agissait d'un piège ?

Curieux aussi que Mère parle de « glaïeul », au fond. Le glaïeul, c'était pour les rendez-vous amoureux. En principe, elle aurait dû écrire plutôt « mouron des oiseaux ».

Mais peut-être avait-elle trouvé que c'était trop long ?

Auquel cas, elle aurait pu écrire « mouron blanc » ou même « mouron » tout court, non ? N'était-ce pas ce qu'elle aurait fait ?

Mais si ce message était un piège, de qui pouvait-il provenir ?

Et il se trouvait dans la *Pall Mall Gazette*, pas ailleurs. Le journal favori de ma mère, pas un autre.

Non, c'était bien un message de Mère. Je brûlais d'y croire.

Avais-je envie de la revoir ?

Oui. Non. Je lui en voulais encore. J'avais de bonnes raisons de lui en vouloir.

IVY – DÉSIRE GLAÏEUL : OÙ ? QUAND ? AFFECTUEUSEMENT, TA CAMOMILLE.

Affectueusement.

Était-ce bien là un mot qu'aurait employé ma mère ? Ne m'ayant jamais écrit, elle n'avait pas eu l'occasion de l'employer, mais… était-ce un mot qu'elle *aurait* employé ?

Non. C'était un piège.

De l'affection. Cette denrée dont j'avais toujours rêvé.

Ou bien ce message était un faux – mais forgé par qui ? –, ou bien Mère éprouvait enfin pour moi ce dont j'avais tant besoin, ce dont il n'avait jamais été question entre nous deux.

Si je ne répondais pas à ce message, je ne saurais jamais ce qu'il en était.

Si je répondais, je mettais en péril ma liberté. Pour un mot, un seul mot stupide.

Lorsqu'on ne sait que faire, le plus sage est de ne rien faire. Mais j'en suis bien incapable, d'où mon penchant pour les sorties nocturnes. Faute de cette soupape, après une nuit presque sans sommeil, je me levai et me préparai, avec la ferme intention de sortir, bien que ne sachant vers où ni dans quel but. J'enfilai donc mes atours – corset de survie, jupons, robe volantée, enrubannée, digne de ce beau quartier –, puis me consacrai à l'embellissement, ou plutôt au déguisement de mon visage, et pendant tout ce temps mes pensées avaient repris leur farandole. Ce message provenait-il de Mère ? Valait-il une réponse ? Et si oui, laquelle ?

Pour l'heure, et malgré mon horreur de l'indécision, je résolus d'attendre. Après tout, la seule et unique occasion où j'avais appelé ma mère à l'aide, elle m'avait fait attendre aussi, et attendre, et attendre. En fait, elle n'avait pas répondu du tout, pas à ce message-là. Et je lui en voulais encore, au point d'estimer que mieux valait ne pas la revoir avant d'avoir épuisé ma rancune, de peur d'avoir en sa présence des mots durs que je regretterais ensuite.

D'un autre côté, si réellement elle cherchait à me joindre, et si je ne répondais pas… Si, par exemple, elle était souffrante, si elle n'avait que peu de temps à vivre ? Si c'était ma dernière chance de faire la paix avec elle ?

Insanités ! Si c'était depuis son lit de mort que Mère m'envoyait cet appel, elle ne m'aurait sûrement pas proposé de choisir moi-même le lieu et l'heure du rendez-vous !

Oui mais…

Et mais, et mais, et mais – jusqu'à ce que, pour finir, à force de tourner en rond tel l'âne actionnant la meule, ces pensées-là s'arrêtent, épuisées, dans leur propre ornière. J'avais tout oublié de la disparition du Dr Watson, de la malheureuse Mary Watson et de l'expéditeur des bouquets malintentionnés, avec son nez amovible.

Et voilà que soudain, à la seconde où je collais sur ma tempe le petit grain de beauté lui aussi amovible, remonta du fond de mon esprit, comme sur un plateau, la solution à une énigme à peine effleurée la veille : lorsqu'on avait été défiguré au combat, comment masquer ou rendre moins hideux des traits ravagés ? Tel un monte-plat s'ouvrant pour révéler son offrande, le bon sens me fournissait la réponse : pourquoi pas un faux nez, une fausse oreille, peu importait l'organe, en caoutchouc de couleur chair ?

Ce qui déplaçait l'interrogation : où trouvait-on ce genre d'objets ? Sans doute dans les magasins qui vendaient des faux crânes de chauve, du mastic à maquiller, de la fausse peau et d'autres accessoires de théâtre – peut-être même dans cette boutique où j'avais acheté ma perruque et mon grain de beauté...

Chez Pertelote.

Anciennement, chez Chaunticleer.

Sauvée ! J'avais trouvé que faire.

CHAPITRE X

Il faut accorder ce bon point à la propriétaire de la maison Pertelote's : c'est à peine si elle émit un son lorsque j'entrai dans sa boutique. La surprise se lut sur son visage en tourtière, mais elle se contenta de murmurer : « Bonté divine. Vous les portez superbement. Mes compliments, miss, euh, Everseau. »

Ainsi donc, elle reconnaissait et la perruque et le grain de beauté, se rappelait fort bien mes traits sans grâce lors de notre transaction, et n'avait pas oublié le nom qu'elle-même avait imprimé sur mes cartes de visite.

« Merci », dis-je avec un sourire. Elle savait parfaitement que le nom dont j'usais n'était pas mon vrai nom, pas plus que je n'étais qui je semblais être, et pourtant il n'y avait dans sa voix ni moquerie ni condescendance. Elle y mettait au contraire une sorte de discrétion bienveillante, quelque chose de presque maternel…

Maternel ! Comme si je m'y connaissais en la matière. Comme si Mère m'avait jamais maternée.

Ne pas penser à Mère.

« Et pour aujourd'hui, ce sera ?… »

Non sans peine, je m'efforçai de me concentrer sur mon plan d'action – délicat, puisqu'il consistait à interroger Pertelote sans en avoir l'air. Il me fallait donc feindre d'être venue là pour une autre raison.

« C'est le papier d'Espagne, dis-je à mi-voix. J'ai du mal à l'appliquer. Auriez-vous… autre chose ?

— Mais certainement. Suivez-moi. »

Elle me guida jusqu'à une sorte d'alcôve, séparée du restant de la boutique par un paravent japonais. Là étaient rangées toutes sortes de substances inconnues de moi, liquides, pâteuses, poudreuses, pouvant être appliquées sur le contour des yeux dans le but de les mettre en valeur. Des gouttes destinées à leur donner du brillant. Une pâte noire chargée d'épaissir les cils, afin d'éviter le recours à ces postiches douteux, les faux cils. Une autre pour se faire des sourcils plus fournis, et diverses ombres à paupières.

« Le secret, m'expliqua Pertelote, est d'en mettre si peu que cela ne se voie pas. Si ça se voit, on perd tout l'avantage. »

Assise sur un amour de chaise juponnée de dentelle, face à une coiffeuse au miroir bien éclairé, j'appris sous sa direction à me tamponner le visage d'un peu de ceci, à l'effleurer d'un peu de cela…

« Incroyable ! m'écriai-je, admirant mon reflet.

— C'est le mot.

— Et tous ces produits sont utilisés pour le théâtre ?

— Non. Pour la scène, ils sont trop discrets. Ce que vous avez ici, ce sont des cosmétiques confidentiels, miss Everseau. De ceux que vous trouveriez cachés dans le tiroir de la coiffeuse d'une comtesse, d'une duchesse ou d'une tête couronnée. »

Propos invérifiables, évidemment, et cependant, je la croyais à demi. Impressionnée, je levai les yeux vers ce visage aux traits épais, encadrés de deux chignons gris. « J'en suis très honorée, lui dis-je. Et comment avez-vous découvert leur existence ?

— C'est mon métier.

— Et comment êtes-vous venue à ce métier ?

— Comment en vient-on à vendre des secrets de beauté quand on est laide à pleurer, c'est ça ? » C'était dit avec une franchise stupéfiante et un sourire amusé, apparemment sans amertume. « Ironie des choses, n'est-ce pas ? »

Cette honnêté hors du commun me ravissait, mais me déconcertait au moins autant.

« Ce n'est pas du tout ce que je voulais dire, protestai-je, sincère. Mais comment une femme en vient-elle à gérer une boutique aussi peu banale ? »

Je crus percevoir un rien d'hésitation, surprenant de la part de quelqu'un d'aussi ouvert.

« Ah ! concéda-t-elle. Pour être franche, ça a d'abord été la boutique de mon mari.

— Chaunticleer était votre mari ? »

Je me doutais bien qu'il ne s'était pas nommé ainsi, inutile de le préciser. Elle sourit, d'un étrange sourire.

Je m'enhardis dans l'extrapolation. « Et était-il acteur, ou quelque chose de ce genre, pour se lancer dans ce commerce-là ?

— Pas du tout. » Elle semblait de moins en moins encline à répondre à mes questions.

« Et il est, euh, décédé, je suppose ? » Reprendre une boutique à la suite d'un veuvage était dans l'ordre des choses.

« Non. Retraité. »

Cette fois, le ton signifiait clairement : fin de l'interrogatoire. Mais je refusai de m'arrêter en si bon chemin. « Ah ? dis-je. Quelle chance il a ! Et à quoi passe-t-il son temps, à présent ?

— Oh ! dans sa précieuse serre. » C'était venu d'un trait, sur un ton dur – aussi féroce que si le malheureux avait eu pour passe-temps de tuer des chiots.

Sa *serre* ?

J'étais venue ici dans l'espoir d'apprendre si Pertelote avait des clients ayant besoin de nez factices, et je découvrais à la place que son mari, peut-être, cultivait en serre des fleurs louches ?

« Vous ne l'aimez pas trop, cette serre, hasardai-je.

— C'est le mari que je n'aime pas trop », lâcha-t-elle d'un ton sombre, avec une franchise si désarmante que nous éclatâmes de rire toutes deux. Mais aussitôt elle changea de sujet. « Voulez-vous voir les rouges dernier cri, miss Everseau ? De quoi vous embellir les lèvres... »

Pour lui faire plaisir, je passai sur mes lèvres un peu de cérat rosé – elle me déconseilla le bâton de rouge, « pernicieux et juste bon à vous donner des gerçures ». Après quoi, je sélectionnai quelques-uns de ses « cosmétiques confidentiels », attentive à ne pas me montrer pingre. Mes emplettes payées et dûment enveloppées de papier kraft, je les glissai dans mon filet et gagnai la porte. Mais sur le seuil j'eus une hésitation. J'avais échoué à mener la conversation dans la direction souhaitée ; c'était maintenant ou jamais.

« Au fait, dis-je comme si cette pensée me traversait l'esprit à l'instant, vous arrive-t-il parfois, Mrs, euh...

— Kippersalt, dit-elle un peu à regret.

— Euh, Mrs Kippersalt, une question peut-être idiote : vous arrive-t-il de vendre, je ne sais pas, moi, des oreilles factices, ou des doigts, pour des personnes qui auraient perdu les leurs ? »

Elle acquiesça gravement, non sans une certaine fierté. « Mais oui, tout à fait. »

Je n'avais pas terminé : « Ou peut-être même des faux nez ? »

Son expression changea du tout au tout, et le ton

se fit sec : « Pourquoi demandez-vous ça ?

— Oh, c'est quelqu'un que je connais qui a vu cette chose étrange, récemment : un pauvre monsieur dont le faux nez est tombé par mégarde – et je me demandais...

— L'a fait quoi, encore ? »

Du moins, c'est ce que je crus entendre. C'était dit entre les dents, comme si ça lui avait échappé.

« Pardon ? dis-je.

— Rien. »

Elle ne souriait plus du tout. Elle serrait les dents, au contraire. Et moi, brusquement consciente de sa corpulence et de sa force probable, je dus me retenir de faire un pas en arrière. La mâchoire mauvaise, elle n'avait plus rien de maternel.

« Qu'est-ce que vous cherchez à savoir, hein ? » reprit-elle, et cette fois son accent était franchement cockney. Les mains sur ses larges hanches, elle me dévisageait durement. « Et d'abord, qui vous êtes ? Maintenant que vous savez mon nom, je peux savoir le vôtre, peut-être ? » Et comme je ne répondais pas : « Je n' veux plus vous voir, vous m'entendez ? Pas besoin de vous comme cliente ! Disparaissez, et rev'nez pas ici ! »

Je m'éclipsai sans discussion, un brin penaude, mais ma curiosité piquée au vif. J'étais venue voir dame Pertelote – Mrs Kippersalt, il ne fallait surtout pas que j'oublie ce nom –, j'étais venue la voir, dis-je, pour chercher à savoir si un homme accidentellement privé de nez pouvait en porter un factice, et, le cas échéant, si elle en connaissait des exemples. La réponse, clairement, était oui aux deux questions. Un oui douloureux pour elle, au point de refuser d'en parler. Mais qu'y pouvais-je, et que pouvais-je faire de cette information ?

De retour sur Holywell Street, j'aurais voulu pouvoir m'arrêter, m'asseoir pour réfléchir et prendre quelques notes. Mais cette rue-là ne s'y prêtait pas, moins que tout autre. En fait, j'accélérai le pas, car je venais de découvrir que des regards s'attardaient sur moi, et que je m'attirais des salutations indésirables de la part d'« amateurs d'art ». Juste ciel ! Et l'un d'eux me suivait, que dis-je ? ils étaient deux à me suivre ! Mais quelle mouche les…

Et soudain je compris : j'étais encore toute parée des « cosmétiques confidentiels » testés dans l'alcôve de Pertelote, rouge à joues, ombre à paupières, cérat pour lèvres et *tutti quanti*.

Bonté divine, que les hommes – enfin, certains – étaient donc nigauds ! Plus on usait d'artifices, et plus ils… Pauvres naïfs, bernés par des rembourrages et un peu de peinturlure ! M'étais-je vraiment rendue *trop* ravissante ? Ou trop obstensiblement soucieuse de l'être ?

Je débouchai enfin sur le Strand, avec ses trottoirs plus larges. Pas fâchée de laisser derrière moi Holywell Street, je cherchai des yeux quelque refuge, et c'est alors que j'entendis un crieur de jounaux dans mon dos. Je me retournai – ouf ! au moins, apparemment, « on » avait renoncé à me suivre – et, déposant mon penny dans la casquette du vendeur, je lui pris un journal que j'ouvris sur-le-champ pour me cacher derrière, légèrement à l'écart du flot des passants...

D'abord, respirer bien à fond. C'était la première chose à faire. Comme toujours dans les moments d'épreuve, je revis Mère, j'entendis sa voix : « Tu te débrouilleras très bien toute seule, Enola. » Mais l'effigie maternelle, loin de me calmer, ne fit qu'accroître ma détresse. La pensée me revint de ce fameux message auquel je n'avais toujours pas répondu, IVY – DÉSIRE GLAÏEUL : OÙ ? QUAND ? AFFECTUEUSEMENT, TA CAMOMILLE. Oui ou non, provenait-il d'elle ?

Trop de doutes, trop de questions sans réponse. Que faire de ce message suspect ? Que penser de la réaction de Mrs Kippersalt, à l'instant ? Comment remonter jusqu'à l'expéditeur des bouquets insolites, peut-être en rapport, et peut-être pas, avec la disparition du Dr Watson ? Tandis qu'une fois de plus ces pensées se bousculaient dans ma tête, mes yeux balayaient les Avis personnels, dans la page des petites annonces, à la recherche d'une possible réponse à « Aubépine, asperge, liseron, pavots : que voulez-vous ?... » Je n'y croyais qu'à demi, mais...

Il y en avait une. Charmante.

« M.M.W. : Belladone aujourd'hui, if demain. Sincères condoléances. »

Plus glaçant qu'utile.

La belladone – belle-dame[1] ou herbe-au-poison – figure rarement en bouquet ou dans les recueils de langage des fleurs. Non que ses corolles brun pourpré soient laides ni que ses baies noires et luisantes manquent de charme, mais toute la plante est hautement toxique. Quant à l'if, non moins vénéneux, et hôte des cimetières de surcroît, il rendait le message plus clair encore. Une menace de mort, ni plus ni moins. Sans doute à l'adresse du Dr Watson, mais peut-être aussi de son épouse.

Cette fois, j'en avais la certitude : ces envois étaient le fait d'un esprit dérangé qui n'avait qu'une obsession, distiller la haine et infliger la peur.

Par tous les diables ! il fallait faire quelque chose,

1. L'une des substances que contient cette plante, l'atropine, a pour propriété de dilater la pupille, et la belladone tire son nom populaire (*bella dona*) du fait que les « belles dames » de jadis en usaient – à leur péril – pour se faire le regard plus sombre, plus attirant.

mais quoi ? Plantée derrière mon journal ouvert, je me concentrais pour réfléchir tout en m'en sentant incapable… et c'est ainsi que, du coin de l'œil, je notai qu'une fois de plus des silhouettes masculines traînaient aux alentours, comme prêtes à m'emboîter le pas sitôt que je me remettrais en mouvement. Décidément, les hommes étaient une curieuse engeance ; la seule vue d'une jolie femme suffisait à les rendre niais. Mais je l'avais déjà remarqué, n'est-ce pas, le jour où j'étais allée dans les bureaux des journaux…

Une idée me traversa l'esprit.

Bureaux. Journaux. Employés masculins.

Hmm. La partie n'était pas gagnée. J'étais certes déguisée en jolie femme, mais je manquais singulièrement d'expérience en matière de battements de cils enjôleurs. Malgré tout, je n'avais rien à perdre.

Je repliai mon journal posément, le fourrai dans mon filet, puis, d'un pas résolu, je ne fis qu'un bond jusqu'à la station de fiacres toute proche, sans me retourner une seule fois sur les pots de colle à mes basques. Optant pour une voiture fermée dans laquelle j'aurais la paix, je lançai au cocher : « Fleet Street. »

CHAPITRE XI

Le trajet me permit de dresser mon plan de bataille. Je comptais faire d'une pierre deux coups : d'abord, obtenir au moins une vague description de la personne ayant placé l'annonce « belladone et if » – à défaut de son identité réelle ; ensuite, tâcher de découvrir si le message « désire glaïeul » pouvait provenir ou non de ma mère.

Je résolus de donner priorité à l'affaire des bouquets malveillants : la vie du Dr Watson était peut-être en danger. Par ailleurs, on pouvait supposer que l'annonce à la belladone avait été publiée dans plusieurs journaux, et j'allais donc tenter ma chance plusieurs fois. Tandis que l'annonce au glaïeul n'était parue que dans la *Pall Mall Gazette*, et mieux valait, de toute manière, avoir déjà testé ma méthode avant de m'aventurer là.

Dans l'intimité du fiacre, je sortis de mon corset la paire de petits ciseaux que j'y cachais et découpai l'annonce du jour avant de jeter le journal sous la banquette. Puis, au carrefour le plus animé de Fleet Street, je tambourinai sur la paroi du fiacre pour signaler au cocher de s'arrêter. La course payée, je me rendis tout droit au journal le plus proche – qui se trouvait être le *Daily Telegraph* – et gagnai le bureau des petites annonces, où un jeune dandy maniait la plume et le buvard d'un air absorbé.

« Je vous demande pardon… » dis-je d'une petite voix timide.

Il leva des yeux indifférents, mais lorsqu'il vit qu'il avait affaire à la féminité incarnée, il se mit en arrêt comme un chien bécassier.

Je repris ma petite voix haut perchée : « Vous souviendriez-vous, par hasard, de la personne qui est venue placer cette annonce, s'il vous plaît ? » Et je lui glissai sous le nez ma coupure de journal.

« Je… hum… » Non sans peine, il parvint à la lire tout en me dévorant des yeux. « Belladone et if. Euh, oui, elle est bizarre, celle-là… Il me semble me souv…

— Nous ne fournissons *pas* ce type d'information », le coupa une voix féminine, sèche comme un coup de trique.

Je levai les yeux. Une femme d'un certain âge, elle-même sèche comme un coup de trique, venait de surgir derrière le jeune homme. Toute raide dans sa robe en drap de laine, elle fusillait du regard son jeune collègue, sans doute son subalterne, mais c'est à moi qu'elle dit, d'un ton d'institutrice : « Si vous placiez une petite annonce, vous aimeriez qu'on révèle votre identité, vous ? »

En quoi elle n'avait pas tout à fait tort, je l'admets. Je repris ma coupure de journal et, sans un mot, quittai les lieux avec toute la dignité dont j'étais capable.

Exit le *Daily Telegraph*. Et en route pour le journal le plus proche.

Une journée longuette s'ensuivit. J'épargnerai au lecteur le récit détaillé des rebuffades essuyées, ainsi que celui des demi-triomphes. Disons simplement que, dans l'ensemble, les messieurs se montrèrent plutôt aimables et les dames, pas du tout. Le peu d'informations que je parvins à extorquer me fut glissé par des messieurs seuls à leur bureau, sans collègue féminine à portée d'oreille. En fait, je n'obtins de réponse que dans deux cas, de la part de très jeunes gens. Et je ne dirai pas « gentlemen », car il était clair qu'à leurs yeux, en échange de leur coopération, je leur accordais le droit à une certaine familiarité.

Pour être franche, ce marivaudage forcé me laissa quelque peu mortifiée, mais ma dignité froissée se consola de cette satisfaction : les indices recueillis concordaient. La petite annonce à la belladone avait été déposée, aux dires de ces deux employés, par un curieux citoyen à barbiche grise et portant haut-de-forme – bien que n'ayant rien d'un homme de qualité –, et qui s'efforçait de se grandir alors qu'il était plutôt trapu, ventru et, somme toute, assez repoussant. Repoussant comment ? avais-je insisté.

Être courtaud et rondouillard ne me semblait pas suffire. Il avait « quelque chose de pas normal », selon ces messieurs. « Cadavérique », assurait l'un ; « les joues creuses et un teint de malade, un peu comme un lépreux », assurait l'autre, qui n'avait sans doute jamais vu de lépreux de sa vie. En fait, tous deux s'étaient révélés bien en peine d'expliciter ce qui les avait tant gênés chez ce client, mais c'était le visage qui clochait. « Comme une tête de mannequin de cire, si vous voyez ce que je veux dire. »

Ils auraient pu ne décrire là qu'un petit barbichu maladif surmonté d'un chapeau-claque, mais j'entendais encore ce gamin des rues terrorisé : « Enl'vez pas vot' nez, enl'vez pas vot' nez ! », et une image se formait dans mon esprit, celle d'un homme avec un faux nez plaqué à l'aide de pâte à masquer. Même pratiqué de main de maître, ce genre d'artifice, je le soupçonnais, devait conférer aux traits une rigidité suspecte, pour ne rien dire de la texture et du teint.

Forte de ces informations, il me semblait logique de supposer que l'expéditeur des bouquets de mauvais augure et celui de la réponse à ma petite annonce ne faisaient qu'un, mais étais-je plus avancée ? La question demeurait : comment remonter jusqu'à ce citoyen du plus haut intérêt ?

Je ne voyais pas quel fil tirer.

Si ce n'est que Pertelote – Mrs Kippersalt – savait peut-être quelque chose de lui, à en juger par son étrange réaction à ma question. Je l'entendais lâcher entre ses dents : « L'a fait quoi, encore ? » Sur quoi, elle m'avait bannie de sa boutique.

Fort bien.

Ce qu'il me fallait découvrir, et vite, c'était l'adresse des Kippersalt, et si Mr Kippersalt cultivait de l'aubépine dans sa précieuse serre. Mieux : il me fallait jeter un coup d'œil à ce Mr Kippersalt en personne, afin de constater s'il avait ou non les joues creuses et un teint de lépreux, cadavérique ou cireux...

Et si je suivais Pertelote à l'heure où elle rentrait chez elle ?

Impensable, décidai-je après brève réflexion. Les jours allongeaient. Il ne faisait plus du tout nuit à l'heure de fermeture des boutiques. De plus, si elle me repérait, elle était bien capable de me reconnaître, quel que fût mon déguisement. Elle avait eu l'occasion de m'observer de près, et sous plusieurs apparences. D'ailleurs, je gardais un fâcheux souvenir de ma dernière filature : entre autres ennuis, j'avais bien failli passer sous les sabots d'un cheval de trait et j'en tremblais encore.

Non. Ce Mr Kippersalt, je le trouverais par d'autres moyens.

Kippersalt. Le nom n'était pas courant. Si Londres avait été administrée de façon rationnelle et logique, il m'eût été relativement facile d'en découvrir l'adresse. Mais Londres était tout sauf rationnelle et logique. En vérité, la plus grande ville du monde se révélait même la plus dépourvue de logique, organisée qu'elle était – désorganisée, plutôt – en quelque deux cents *boroughs*, chacun de ces arrondissements de poche doté de ses propres archives, son propre service des impôts, son commissariat de police, et tout à l'avenant.

Cela dit, je pouvais tout de même supposer que les Kippersalt étaient domiciliés non loin de leur boutique. C'était souvent le cas pour les commerçants d'un certain âge, installés avant la construction du métro, qui permettait désormais de travailler au cœur de la ville tout en habitant les faubourgs. Donc, si les Kippersalt logeaient aux alentours de Holywell Street, voire dans cette rue même, je devais pouvoir obtenir leur adresse en visitant les services de deux ou trois arrondissements seulement.

Tout en brassant ces pensées, je cheminais le long de Fleet Street en direction des locaux du dernier quotidien où il me restait à passer : ceux de la *Pall Mall Gazette*.

Sitôt dans la place, je perdis espoir : derrière le bureau des petites annonces était assise une femme aux allures pincées, raide comme la justice. Mais qui ne risque rien n'a rien, et je décidai de tenter ma chance.

Sur le rebord de la fenêtre étaient disposés des exemplaires des derniers numéros du journal.

Mon cœur cognant comme un sourd, ce niais, sous la dague nichée dans mon corset, je repérai celui qu'il me fallait et l'ouvris à la page des Avis personnels.

422555 – 415144423451 22231142511523 5315 2415114341 1112125131541551154451335514354 5411 3111335333422232351

Désignant ce message au dragon à col ruché qui trônait derrière son bureau, je demandai, ou plutôt quémandai : « Pourriez-vous me dire qui a placé cette annonce ?

— Non, je ne le peux pas. » C'était sans réplique.

Elle ne le pouvait pas ou ne le voulait pas ? La corpulence en moins, on aurait dit Sa Majesté, le menton fier et dédaigneux – mais régnant sur un royaume de poche.

Je ne m'avouai pas vaincue. « Pourriez-vous me dire au moins, je vous prie, si c'était un homme ou une femme ? »

S'il s'était agi d'une femme, ce ne pouvait être que Mère. À cette pensée, mon cœur tressaillit ; que faire alors, si c'était le cas ?

« Je ne peux *rien* vous dire », décréta Son Altesse.

Une tentative de corruption ne fit que l'indisposer davantage. Malgré quoi, je m'obstinai à plaider une longue minute encore. Je n'admis ma défaite que lorsqu'elle menaça d'en appeler aux autorités.

Bon. Au moins, j'avais essayé. Et malgré l'étrange brouet de sentiments qui bouillonnait en moi – étais-je déçue d'avoir fait chou blanc, étais-je au contraire soulagée ? –, par un effort de volonté je parvins à repousser ma mère au fin fond de mes pensées.

J'avais plus urgent encore. Une sombre affaire de belladone…

Quelques heures plus tard, une Mrs Tupper interloquée me vit franchir son seuil pour regagner mon humble chambrette.

« Miss Meshle, s'enquit-elle d'un ton incertain, voulez-vous souper ?

– Non merci, Mrs Tupper. » J'avais grand hâte de monter me changer, ma journée n'étant pas achevée. « Veuillez m'excuser, mais je n'ai pas le temps. » Pas le temps d'avaler un morceau, ce qui n'améliorait pas mon humeur, car mon estomac criait famine, ayant déjà sauté le déjeuner.

« Heh ? fit-elle, braquant vers moi son cornet acoustique.

– Non ! Merci ! Mrs ! Tupper ! » lui clamai-je à l'oreille.

Pour une fois, crier était presque un soulagement.

J'avais les pieds en marmelade, pour avoir non seulement parcouru Fleet Street en long, en large et en travers, mais de surcroît rendu visite à huit – non, dix, je m'y perdais – bureaux d'arrondissement, le tout sans trouver un seul Kippersalt, hormis un Augustus Kippersalt qui avait été envoyé, le pauvre diable, à l'asile d'aliénés de Colney Hatch et ne pouvait donc être mon homme. En un mot comme en cent, la journée avait été rude. Et pourtant…

Pourtant, je n'avais pas le choix : mon seul espoir était, bel et bien, de réussir à regagner Holywell Street à temps pour voir dame Pertelote – cette grande volaille de femme dont j'avais hérissé le plumage – fermer les volets de sa boutique. Et déterminer où elle allait ensuite.

Je gravis l'escalier en boitillant et, sitôt dans ma chambre, délivrai mes pieds de mes bottines de torture, arrachai ma perruque et troquai ma robe de taffetas – rose pêche à petits nœuds blancs, guère l'idéal pour passer inaperçue – contre un corsage et un jupon de laine aussi sombres l'un que l'autre. Je glissai mes pieds meurtris dans d'épais mi-bas, puis dans mes vieilles bottines noires, miséricordieusement plates et confortables. Faute de temps pour débarrasser correctement mon visage de toute trace des « cosmétiques confidentiels » de Pertelote, je me contentai de l'essuyer à l'aide d'un mouchoir propre, puis de le poudrer très légèrement de fines cendres de l'âtre. Ainsi transformée en une Sally-du-coin-de-la-rue, j'enfonçai ma plus longue dague dans le fourreau sous mon corset, jetai mon vieux châle noir sur ma tête et dévalai l'escalier. L'instant d'après, j'étais dehors – et le regard éberlué de Mrs Tupper, que j'avais évité de croiser, m'escorta jusqu'au bas de la ruelle.

CHAPITRE XII

« FIACRE ! » hélai-je impérieusement à la première occasion.

Le cocher, bien que fort peu stylé lui-même, me toisa d'un œil incrédule. Une femme des bas quartiers, réclamer un fiacre ? « C't à moi que vous parlez ? »

Je lui lançai une pièce d'or qui fit taire ses doutes instantanément. « Le Strand, lui dis-je en me hissant à bord. St Mary's. » Ce n'était pas très loin de Holywell Street ; il n'avait pas à connaître ma destination précise. « Et si vous m'y menez en dix minutes, ce sera un souverain[1] de plus.

— Bien, ma'am ! » Ma'am. Pour changer de statut social, rien ne vaut les espèces sonnantes, plus efficaces encore que la beauté. « Pouvez compter sur moi et mon vieux Conductor ! »

Un coup de fouet sur l'encolure de l'infortuné canasson nous lança au petit trot. Je m'interdis de songer à *Black Beauty*[2], qui m'avait tant fait pleurer, enfant, et me cramponnai de mon mieux à la banquette, m'efforçant de réfléchir à la suite de mon programme.

---

1. Ancienne pièce d'or, qui valait vingt shillings.
2. *Black Beauty: The Autobiography of a Horse* (1877), Anna Sewell : mémoires d'un cheval de fiacre anglais, souvent maltraité, de son enfance de poulain insouciant à sa retraite (enfin) heureuse. Un film en a été tiré, *Prince Noir*.

Me jeter ainsi à l'aveuglette dans une opération mal préparée n'avait rien pour m'enchanter, mais quelque chose me disait que l'occasion était à saisir. Le mouvement d'humeur de Pertelote – « L'a fait quoi, encore ? » – me semblait propice à je ne savais trop quoi.

Oui, j'allais la prendre en filature, pour finir, mais avec une extrême prudence, car tout m'incitait à penser qu'elle emportait son courroux avec elle. Elle allait, je le soupçonnais, diriger son ire sur son mari, du moins s'il était bien l'objet de ce « L'a fait quoi ? », ce qui semblait logique. Et j'espérais vivement, sans savoir d'avance comment j'allais m'y prendre, pouvoir entendre sa réponse à lui.

Par-dessus tout, j'espérais le voir, lui. Mon imagination avait beaucoup travaillé sur ce Mr Kippersalt. Un coup d'œil au personnage confirmerait ou infirmerait mes hypothèses, lesquelles se présentaient comme suit :

Imaginons qu'un homme se fasse défigurer, dans une guerre ou un accident, au point de n'avoir plus de nez, entre autres dommages peut-être.

Imaginons que cet homme, cherchant à réparer ces disgrâces, devienne un expert en pâte à masquer, fausse peau, nez de caoutchouc et autres accessoires. Serait-il surprenant qu'il ouvre une boutique spécialisée dans ce genre de produits, ne fût-ce que pour se les procurer aisément ?

Imaginons que cet homme souhaite se marier. Ne présentant pas très bien, ne serait-il pas tout naturel qu'il se tourne vers une femme sans grand attrait de son côté, et ne nourrissant donc, sur ce point, que des espoirs très limités ?

Par exemple, une femme de l'East End, ne manquant en revanche ni de caractère ni d'ambition ? Une femme qui, ayant épousé cet homme non par amour, mais pour s'élever dans l'échelle sociale, ferait preuve de tant d'initiative qu'elle finirait par prendre pour de bon les rênes de leur petit commerce ?

N'en éprouverait-il pas de la rancœur ? De la rancœur au point de...

Mais au point de quoi ? De se venger sur le Dr Watson ?

Par quel détour pourrait-il bien en vouloir tant au Dr Watson ?

À moins que... à moins que le docteur ne fût à ses yeux responsable de la perte de son nez ? Et si la chose était arrivée durant la seconde guerre afghane, à l'époque où le Dr Watson avait été chirurgien des armées ? Peut-être était-ce Watson en personne qui avait amputé cet homme d'un appendice trop endommagé pour être sauvé...

Pas si mal, comme scénario, me félicitai-je intérieurement, enchantée d'avoir établi une connexion plausible. D'un autre côté, j'avais peut-être tout faux…

Le fiacre brinquebalant dans lequel je traversais Londres s'arrêta brusquement. J'en descendis d'un bond, alors même que les roues crissaient encore sur le pavé, et m'élançai à mon tour au trot, non sans avoir lancé au cocher le souverain promis – et tant pis si, faute de montre, j'ignorais s'il avait tenu parole.

La véritable question était : arrivais-je à temps ?

Oui. Quoique de justesse : quand je passai la tête, hors d'haleine, au coin de la rue adjacente la plus proche de chez Pertelote, la maîtresse des lieux refermait les volets de sa vitrine. Je la vis entrer à l'intérieur pour achever de tout verrouiller.

Les derniers rayons du jour baignaient de lumière dorée – si belle et si précieuse à Londres – les toits pentus des vieilles maisons, de l'autre côté de la rue, lorsque je pris mon poste de guet, les yeux sur l'entrée de la boutique, m'attendant à voir sa propriétaire surgir sur le seuil en manteau, fermer sa porte à clé et rentrer chez elle.

Le soleil s'éteignit bientôt, laissant place au crépuscule ; je guettais toujours.

Mrs Kippersalt tardait à ressortir. Que faisait-elle ? Où était-elle passée ? Elle n'était tout de même pas – sapristi ! – sortie par une porte de derrière ?

C'était peu probable. Car juste derrière Holywell

Street croupissait l'un des quartiers les plus tassés, les plus surpeuplés du vieux Londres, occupé jusqu'au dernier pouce carré par des bâtisses très anciennes qui semblaient se bousculer, tituber, se soutenir mutuellement à la façon des ivrognes. Entre ces constructions de ginguois, abritant sous leurs toits des logements insalubres qui hébergeaient une foule de démunis, sinuaient d'étroites ruelles, ou plutôt de sombres boyaux, car les étages supérieurs se refermaient littéralement au-dessus des têtes. La largeur de chacun de ces passages n'excédait guère celle d'un caniveau, et l'état de propreté était à peu près celui d'un caniveau, justement. Je voyais mal Mrs Kippersalt s'aventurer seule dans ce labyrinthe de coupe-gorge fréquenté par les rats et d'autres créatures peu recommandables...

Non, elle ne s'était sûrement pas risquée à l'arrière de sa boutique. Pas plus qu'elle n'avait pu sortir par l'avant à mon insu.

Pourtant, chaque minute qui passait tendait à prouver qu'elle avait échappé à ma vigilance, et que j'étais une tête sans cervelle. « Spécialiste en recherches » ? Ha ! Au vrai, rien de plus qu'une gamine, une linotte de quinze ans, même pas, tout juste bonne à découper des poupées de papier.

La nuit tombait pour de bon et je commençais à désespérer. Aux fenêtres dansaient des lueurs de lampes à gaz ou à pétrole, mais dans la rue l'ombre s'épaississait à vue d'œil, au pied de ces bâtisses dont les étages saillaient les uns au-dessus des autres, chaque façade évoquant une falaise rongée par les vagues, prête à s'écrouler à tout moment.

S'écrouler, oui. Comme le petit monde que je m'étais échafaudé. Je prétendais me lancer à la recherche de personnes disparues, mais en quoi étais-je experte, excepté en bourdes ? Désemparée, seule dans la nuit, désertée par ma propre mère, je n'en menais pas plus large qu'un chaton abandonné...

C'est alors qu'une lueur jaune éclaira les fenêtres du premier étage, au-dessus de la boutique de Pertelote. Au même instant, d'un coup, la lumière se fit dans ma tête. Mes ruminations mélodramatiques cessèrent net. Délaissant à la fois mes pensées lugubres et ma cachette, je traversai la rue pour gagner le trottoir d'en face, celui du magasin de Pertelote.

Si c'était bien elle, là-haut, dans cette pièce au premier, juste au-dessus de l'enseigne en forme de coq, peut-être cela signifiait-il simplement – comment n'y avais-je pas songé ? – qu'elle habitait au-dessus de sa boutique ?

Premier travail : m'en assurer...

Mais c'était elle, sans l'ombre d'un doute. Car à présent j'entendais sa voix, sa grosse voix grave, en vive discussion avec une autre voix. De l'endroit où je me tenais, des bribes d'un échange véhément me parvenaient à travers une fenêtre entrouverte, mais je n'en saisissais pas un mot.

Il me fallait absolument me rapprocher.

Mais comment ? En passant par où ?

J'eus tôt fait de repérer au moins un début d'accès. Entre la boutique et la construction voisine s'ouvrait une coulée sombre, assez peu engageante, large d'environ un bras. Je m'y faufilai et, m'adossant au mur de la construction voisine, j'appuyai mes pieds contre celui de la boutique, puis, ma jupe roulée sur mes tibias, je commençai de m'élever peu à peu, par glissements alternés. La décence m'interdit de décrire en détail ma méthode d'escalade, mais c'était celle des ramoneurs dans les conduits de cheminée.

Dans cette position sans danger – à défaut d'être convenable –, je me sentais si bien calée que je ne risquais pas le vertige et, dès que le sol fut à six ou sept pieds[1], je cessai de redouter d'être vue. Qui donc aurait levé les yeux pour repérer, dans l'obscurité, une vague forme humaine dans une posture aussi improbable ?

Lorsque j'eus la tête presque à la hauteur de la fenêtre éclairée, la voix de Pertelote se fit audible.

« Tu me prends pour une cruche, peut-être ? Tu crois que je ne le vois pas, que tu pars en vadrouille

1. Environ deux mètres.

sitôt que j'ai le dos tourné ? Je veux savoir ce que tu trafiques.

— Je te l'ai dit. J'ai mes p'tites affaires. »

Hé mais... cette deuxième voix, rauque et basse – c'était une voix de femme aussi, une réplique de la première ! Deux femmes. Qui donc était l'autre ?

Et le mari de Pertelote, où était-il ?

La voix de Pertelote s'emporta : « Tes p'tites affaires, tes p'tites affaires ! Tu n'as pas d'affaires. Ton affaire, c'est de rester à la maison et de ne plus planter personne. »

Planter... personne ? Avais-je entendu de travers ? Non, car l'autre voix répondait : « Mais je l'ai pas planté ! Juste rempli deux, trois papiers pour le faire mettre là où il m'a fait mettre. Et ça lui fera le plus grand bien. »

Il y eut un petit silence choqué, suivi d'un éclat outré : « M'enfin, tu es folle à lier ! Ah ! Gus avait bien raison de te faire enfermer, tiens !

— Mais tu l'as obligé à me faire sortir, pas vrai ?

— Tais-toi, je te dis. Tu...

— Tu l'as obligé à me faire sortir. Tu leur as dit que tu pouvais très bien *veiller sur moi*, à la maison. C'est ce que tu leur as dit : que tu allais veiller sur moi. Et tu veilleras sur moi toujours, hein ? »

Quelque chose dans cette voix – pas seulement le ton pleurnichard, mais quelque chose que je n'analysais pas – me donnait la chair de poule.

Malheureusement, je venais d'atteindre le terminus de ma « cheminée », le point où les deux bâtisses se touchaient. Et la fenêtre d'où provenaient les voix était encore au-dessus de moi et, surtout, sur le côté, hors de ma vue.

Or je voulais voir. Il le fallait. Il fallait que je voie qui parlait. Il fallait que je voie qui répétait : « Tu veilleras sur moi toujours, hein ? Dis-le ! Tu veilleras sur moi toujours, toujours. »

Entre la fenêtre et moi saillait une avancée surplombant le trottoir, une sorte de corniche recouverte d'ardoises.

C'était une surface dure, ce trottoir pavé en contrebas. Qui ne devait guère pardonner les chutes.

Et pourtant…

Je respirai un grand coup. Puis je m'étirai hors de ma coulée, empoignai à deux mains l'arrondi de bois bordant la corniche, et, repoussant des pieds le mur de ma cheminée, je tentai de me hisser, d'un mouvement de balancier, sur ce damné surplomb.

Je parvins à lancer un genou par-dessus. Mais dans le même temps l'une de mes mains lâcha prise.

Un genou, je le découvris vite, s'agrippe beaucoup moins bien qu'une main. Je me sentis glisser. Je dus mobiliser toute ma volonté pour ne pas hurler.

« Tu veilleras sur moi toujours, hein, grande sœur ?

insistait la voix trop grave. Dis-le ! Tu veilleras sur moi toujours, toujours. »

Ah ! si seulement quelqu'un avait daigné veiller sur moi, un peu ! Cramponnée à cette saillie trop lisse – de nouveau des deux mains, grâce au ciel –, je rassemblai toutes mes forces avec l'énergie du désespoir et parvins à hisser sur cet appui la moitié supérieure de ma personne, puis une jambe, puis deux, malgré l'entrave des jupons. Et pour finir, d'un coup de reins, je me renfonçai à l'écart du vide. J'étais à présent à plat ventre sur cette sorte de corniche en pente douce.

« Tu veilleras sur moi toujours », répétait la voix monocorde, en une sorte d'incantation qui ne faisait qu'accroître ma terreur. Ces mots me glaçaient, pas seulement par l'intonation, mais aussi par leur sens profond. Quelqu'un pour veiller sur moi, pour prendre soin de moi, se soucier de moi… n'était-ce pas ce dont je rêvais, moi aussi ?

« Tu veilleras toujours sur moi, hein, grande sœur ? Dis-le ! Tu veilleras sur moi toujours, toujours.

— Mais bien sûr que je veillerai sur toi ! finit par éclater Pertelote. Comme si je n'avais pas fait ça toute ma vie !

— Ah ! rétorqua l'autre voix, triomphante. Pas le jour où t'as laissé les rats me dévorer la moitié de la figure ! »

CHAPITRE XIII

RATS. Dévorer. Figure.

Quelque chose en moi se recroquevillait à chacun de ces mots. Et pas seulement en pensée. Physiquement, je les ressentais comme des coups, des coups qui me laissaient sans force. Si la voix inconnue les avait prononcés l'instant d'avant, je crois, alors que j'étais en suspens, j'aurais sans doute lâché prise. Là, je me contentai de me plaquer un peu plus encore contre cette corniche, tremblante, choquée, agrippée aux ardoises, mon esprit se débattant contre un double vertige.

« Mais c'était il y a quarante ans. » La voix de Pertelote, défaite.

« Trente-neuf », précisa l'autre.

Et brusquement je reconnus, dans cette méticulosité geignarde, quelque chose de moi-même et qui me fit horreur.

Cette façon de garder rancune. D'en tenir comptabilité. Indéfiniment.

Mère. Oh, Mère.

En vérité, je lui avais pardonné d'être partie ; après tout, moi aussi, j'aimais ma liberté. Et elle avait veillé à pourvoir à mes besoins. De plus, nous communiquions un peu, par petites annonces codées. Mais deux mois plus tôt, durant la vague de froid de janvier, me sentant un peu désemparée, je lui avais demandé de venir à Londres pour une rencontre. Et quel crève-cœur avait été pour moi son silence !

Mais cette blessure n'était que vétille, comparée à ce que j'entendais.

« J'avais juste cinq ans, je te rappelle », reprenait Pertelote. Au ton de sa voix, on devinait que cet échange avait lieu souvent. « Je m'étais endormie.

— Mais moi, j'étais bébé, rétorquait l'autre. Un tout petit bébé au berceau, sans défense. Et toi, tu as laissé les rats me grimper dessus...

— Flora. Arrête. »

Moi aussi, en pensée, je suppliais Flora de se taire. Mais elle poursuivait, inébranlable : « ... et me dévorer la moitié de la joue, et...

— Ar-rête !

— Et toi, on te l'avait dit, pourtant, qu'il fallait veiller sur moi ! »

Sous la rancœur, indéniablement, perçait une immense soif d'attention. *Veiller sur moi...* En ce sens, je me sentais proche d'elle. Vivre avec une sœur, ce devait être si bon ! Deux sœurs ensemble. Je n'avais jamais eu de sœur...

Étais-je en train de me raconter que j'avais toujours rêvé d'une sœur ?

Tu déraillès, Enola. Avant cette minute, tu n'y avais même pas pensé.

D'ailleurs, pour ce qui était de veiller sur moi, j'avais deux frères qui ne demandaient pas mieux que de s'en charger, n'est-ce pas ? Deux frères tout prêts à m'éduquer, à m'assurer un bon mariage ; et j'avais une mère, aussi, qui avait veillé à mon indépendance, un peu trop, même...

Assez pleurniché, Enola. Tu te débrouilleras très bien toute seule.

Ce rappel familier, sans rudesse mais ferme, je l'avais fait mien, désormais. Mais ne le tenais-je pas de ma mère, justement ? Mère... Tout à coup, à plat ventre sur cette étroite bande d'ardoises, je résolus une fois pour toutes de lui pardonner d'être... qui elle était.

Et me sentis le cœur plus léger.

Pendant ce temps, Flora poursuivait sa rengaine : « T'es ma grande sœur, pas vrai ? On te l'avait dit, de veiller sur moi. Et me dis pas que j'ai pas pleuré, me dis pas que j'ai pas pleuré assez fort pour te réveiller ! »

La complainte commençait à me paraître plus lassante que poignante.

Mais Pertelote, qui pourtant devait avoir entendu ce refrain des centaines de fois, en était toujours affectée. « Flora ! Pour l'amour du ciel, tais-toi ! Tu me fais du mal et tu le sais très bien !

— Du mal ? T'en as de bonnes ! Tu crois que ça

me fait du bien, à moi, d'avoir plus de nez ? »

Plus de nez ?

Mon esprit, revenant à la réalité, saisit le mot au bond.

Plus de nez. Juste ciel !

Tout vertige oublié, je relevai la tête. Cette Flora, il fallait que je la voie. Brutalement de retour dans l'affaire en cours, je voyais s'effondrer ma brillante théorie d'un ancien combattant défiguré, reportant sa rancune sur le Dr Watson. Et pourtant… pourtant l'expéditeur des bouquets malveillants était un homme ! Sauf que… en était-ce bien un ? Il fallait que je voie de mes yeux, il fallait à tout prix que je voie si cette Flora était susceptible de se faire passer pour un homme.

Précautionneusement, je me redressai à quatre pattes et, au grand dam de ma jupe, j'entrepris d'avancer sans bruit en direction de la fenêtre.

« Tu exagères, se défendait Pertelote. Depuis la mort de Ma, tu le sais très bien, j'ai fait pour toi tout ce que j'ai pu. »

En quoi je la croyais volontiers. Elle avait quelque chose de profondément maternel, je l'avais perçu d'emblée. Elle avait dû assumer très jeune les responsabilités d'une mère.

J'atteignais l'angle de la fenêtre. Lentement, très lentement, j'étirai le cou pour regarder…

Dans un premier temps, je ne distinguai pas grand-chose : juste un rideau de dentelle. Mais en m'avançant encore, je parvins à voir au travers. La pièce était une sorte de salon, sombre et terne. Aucune des deux sœurs n'était assise, la discussion trop vive les maintenant debout. Pertelote me tournait le dos, et ce dos large masquait Flora presque entièrement. De cette dernière, je discernais seulement qu'elle était aussi costaude que son aînée, et vêtue comme elle sans recherche, d'une simple jupe et d'un corsage. Je lui prêtais le même visage aux traits sans grâce, mais à vrai dire je n'en voyais rien.

C'était Pertelote, à présent, qui monologuait en continu : « Toute ma vie j'ai fait ce que j'ai pu pour toi, toute ma vie ! Jusqu'à pousser ce pauvre Gus à choisir un commerce qui pourrait t'aider à te rendre présentable...

— Tu parles ! En réalité, t'essayais de me marier, oui. Pour te débarrasser de moi.

— J'essayais de te rendre heureuse. De faire de toi quelqu'un de présentable. Mais toi, toi, il a fallu que tu te mettes en tête de porter pantalon et fausse barbe... »

Quoi ? J'avais dû mal entendre. Flora, l'expéditeur des bouquets ? Pourtant, je n'avais pas rêvé. *Pantalon et fausse barbe,* j'avais bien entendu.

Brûlant de voir cette personne, j'approchai plus encore du carreau.

« … et toujours à traînailler on ne sait où, à faire on ne sait quoi…

— Fallait bien que je joue un peu le rôle de ton mari, dis voir ?

— Non, fallait pas ! La vérité, c'est que tu ne veux pas le laisser en paix ! Parce que tu as le cœur mauvais, que tu en veux à la terre entière…

— Essaye un peu, pour voir, de vivre défigurée ! Un homme, au moins, ça a le droit d…

— … Toujours à aller contre la nature ! Et combien de fois je t'ai dit de rester à la maison quand je suis à la boutique ? Et là, maintenant, je viens d'apprendre que tu recommences ! Je vais te dire, moi : pour un peu, je t'y renverrais bien, à Colney Hatch ! »

Alors, avec un hurlement de rage, l'autre fondit sur son aînée – et je vis son visage enfin, je le vis… mais le regrettai. Car, sans prévenir, d'une main décidée, elle arracha son nez pour le brandir sous les yeux de Pertelote en criant : « Essaye un peu de me r'faire enfermer, pour voir, essaye ! » De son autre main, fiévreusement, elle dépouillait sa joue de lambeaux de fausse peau. Et son visage, par-dessous, ou plutôt ce qui lui restait de visage, frémissait comme un tas de vers entortillés.

« Essaye un peu, martelait-elle, et tu verras ! Tu le regretteras, oui ! Et aussi le docteur que t'auras fait signer pour ça ! »

J'étais tellement épouvantée par ce visage, ou plutôt par cette absence de visage, cette chair nue en mouvement, que c'est à peine si j'entendais encore ce qu'elle disait. À la place d'une joue et d'un nez, il y avait deux cavités rouges. La bouche était étrangement raide. Quant aux yeux... les yeux semblaient intacts, mais le regard ne l'était pas. Et ce regard-là, ce regard vide de tout, sauf peut-être d'un élan de meurtre, m'horrifia plus encore que le visage dévasté. Je dus bouger, je pense, ou peut-être émettre un son, car brusquement le regard fou se détourna et se braqua sur moi.

Sur moi, surprise à cette fenêtre comme un grand poisson hébété, attiré par la torche à la surface d'un lac, de nuit.

Flora poussa un nouveau hurlement, comme si elle avait devant elle... un tas de vers entortillés, j'imagine, et me désigna d'un geste violent.

Pertelote se retourna pour voir aussi. Je rentrai le cou dans les épaules.

L'une des deux sœurs, je ne sais laquelle, poussa un juron que je ne répéterai pas.

Fuir. Il ne restait qu'à fuir. Mais faire demi-tour sur cette étroite saillie ? Non, c'était beaucoup trop risqué. Pas question, donc, de repartir par là où j'étais arrivée. Je ne pouvais qu'aller de l'avant, franchir l'angle suivant, et au-delà... au-delà, je verrais.

Je partis donc à quatre pattes le long de la corniche en pente, empêtrée dans cette damnée jupe – qui faillit bien, à plusieurs reprises, provoquer ma chute dans le vide. L'unique raison d'être des jupes longues, j'en suis persuadée, est de priver les femmes de toute liberté de mouvements.

Derrière moi, la fenêtre se souleva d'un coup sec et j'entendis Pertelote, du moins je crois que c'était elle, mugir à pleins poumons : « Police ! Au secours ! Un monte-en-l'air ! »

Presque instantanément, un coup de sifflet strident perça la nuit. La chasse était lancée. D'autres sifflets répondirent, au nord, à l'est, à l'ouest. À l'intérieur de la bâtisse, des pieds dévalaient un escalier, se ruaient vers le rez-de-chaussée.

Je réfléchis avec fièvre. C'était en bas qu'on m'attendait, en bas qu'on allait mener la traque.

Par conséquent, j'allais monter.

C'était plus facile à dire qu'à faire, avec cette jupe qui s'entortillait à mes chevilles et sans la moindre lanterne. Mais bientôt, passé l'angle, mes tâtonnements décelèrent une descente de gouttière. Je saisis cette perche à deux mains pour y monter tant bien que mal, tel le marin grimpant au mât.

Pendant ce temps, au-dessous de moi, on s'agitait fort côté rue. Voisins, police, le quartier entier semblait déjà sur le pied de guerre, et le tohu-bohu qui s'élevait jusqu'à moi – cris, coups de sifflet, bruits de galopades, claquements de sabots des chevaux – suffisait à m'insuffler une force dont je ne me serais jamais crue capable. Au sommet du tuyau de gouttière, un nouveau surplomb bloquait ma progression, mais dans ma frénésie, tel le chat aux abois, je le franchis sans savoir comment.

Encore un mur – encore un étage. N'accéderais-je donc jamais à ce toit ? Malgré moi, de rage impuissante, je frappai du poing le colombage. Idiote ! Qu'est-ce que j'y gagnais ? Alors, me redressant sur cette nouvelle avancée, je tournai résolument le dos à la rue et, une main contre le mur, couvris à grands pas toute la longueur de l'étroite saillie. Et je dis bien : à grands pas ; ni à quatre pattes, ni en rampant, ni même à petits pas prudents. Non, je parcourus cette distance en marchant – en rasant le mur, certes, mais sans voir où je mettais les pieds. Il n'est pas impossible que la folie soit contagieuse.

Et c'est ainsi que, brutalement, j'emboutis un obstacle dur.

Je dus jurer tout bas, je pense, mon nez ayant tâté de l'obstacle en premier, ce qui était sa spécialité. J'interdis à mes mains de voler à lui pour le réconforter, évaluer les dégâts – pas le temps, pas le temps, on verrait plus tard –, et les forçai plutôt à explorer l'obstacle.

C'était du bois, un montant de bois. Peut-être l'encadrement d'une fenêtre en saillie, ou d'un chien-assis, ou de…

Mais qu'importait ? La chose faisait barrage, elle était à escalader. Comme elle était escaladable, je me hissai dessus en rampant, m'agrippant à ce qui dépassait. Des mots ronflants sonnaient dans ma tête enfiévrée : « Il n'y a pas à raisonner / Il n'y a qu'à agir et mourir… » C'était une citation, bien sûr, mais tirée d'où ? Ah ! vu. Mais que diantre venaient faire ici Tennyson et sa *Charge de la brigade légère* ? Sous mon estomac, enfin, le bois laissa place à un couvert d'ardoises en pente douce, et je pus reprendre haleine un instant, avec un début de soulagement, car j'y voyais, à présent. Pas très clair, mais j'y voyais.

Par exemple, un large pan de ciel semé d'étoiles.

Et, sur ce fond de ciel, des angles de toit, des cheminées.

Alléluia ! Une dernière acrobatie – sans témoin, fort heureusement pour ma dignité – par-dessus une dernière stupide avancée, et je me retrouvai sur le toit.

Pantelante, je m'affalai contre ce lit d'ardoises pentu, les pieds calés dans la gouttière, et me fis toute plate.

Sauvée.

Ils ne risquaient pas de me trouver, à présent. Ou guère. Je n'avais plus qu'à rester tapie là jusqu'au point du jour.

Mais à l'instant même où je me faisais cette réflexion, j'entendis une voix aboyer : « Roulez-le par ici ! Faites-lui passer l'angle !... Bon, comment on l'allume, c't engin ? »

L'instant d'après, un puissant faisceau de lumière transperça la nuit, projetant alentour des ombres dansantes. J'avais lu dans les journaux, comme tout le monde, les louanges de ce nouvel équipement récemment acquis par Scotland Yard, ce fameux projecteur électrique « à transformer la nuit en plein jour », hippomobile, avec groupe électrogène – mais savoir qu'un équipement existe est une chose et s'en faire aveugler en est une autre. Je lâchai un cri, je le crains. Par bonheur, il en fut de même de la rue entière à mes pieds, si bien que nul ne m'entendit.

« Vers le toit ! Dirigez-le vers le toit !

— Là-haut ? ricana une voix. Une femme, grimper là-haut ? »

Je ne m'attardai pas pour entendre la suite. Terrorisée, flageolante, je ne tentai même pas, cette fois, de me redresser. Je rampai de nouveau en direction de la crête du toit, avec toute l'élégance de la limace. C'est uniquement la peur de tomber qui me dictait ce mode de progression, je l'avoue, mais sans doute était-ce plus sage aussi : je n'en étais que moins repérable.

J'avais beau être longue et mince, je n'aurais pas fait un bon serpent. Malgré tout, j'atteignis le faîte de la toiture et, toujours plaquée contre l'ardoise, je rampai de l'autre côté.

L'instant d'après, le redoutable pinceau lumineux balayait le pan de toit que je venais de déserter. Tapie dans l'ombre, de l'autre côté, je le regardai passer lentement de droite à gauche.

Mais étais-je tirée d'affaire ? L'engin était monté sur roues. À coup sûr, ils allaient se débrouiller pour attaquer la toiture sous un autre angle…

Cette pensée me galvanisa. Il me fallait changer de cachette, fuir de toit en toit. Je me retournai sur le dos et, sur les fesses, cette fois, je redescendis vers la gouttière. Fuir, fuir ce faisceau diabolique, si éblouissant que sa lumière réfléchie me permettait d'y voir un peu. Là ! justement : un autre pan de toit, en pente moins raide, rejoignait le mien, légèrement en contrebas. Soulagée, je sautai dessus à pieds joints.

Et *craaac !* je me sentis tomber en chute libre, comme si je m'étais jetée d'une falaise.

CHAPITRE XIV

ACCOMPAGNÉE D'UN FRACAS EN CASCADE, celui, sans erreur possible, du bris de verre, j'étais comme happée par le vide.

J'ouvris la bouche pour crier – trop tard. Déjà ma chute prenait fin, *vloup !* dans quelque chose de souple qui amortit considérablement l'impact.

Mes pieds touchèrent un sol meuble, puis je m'effondrai à genoux, jupe en désordre, au milieu de… au milieu de quoi ?

C'était vaporeux et flexible, un peu comme de la mousse à rembourrer les corsets. C'était moins aisément identifiable, en tout cas, que les éclats de verre qui achevaient de pleuvoir autour de moi à petits bruits étouffés.

L'air alentour était étrangement moite, avec comme une odeur d'humus. Je commençais à deviner où j'étais, mais une autre sensation me préoccupait davantage, celle d'un liquide tiède sur mes lèvres. Ma langue confirma : c'était légèrement salé. Du sang. Précautionneusement, je pressai ma bouche du dos de ma main. Oui, ça brûlait un peu. Je m'étais coupée à un fragment de verre. Et aux mains aussi, j'avais des coupures ; ça piquait ici et là, mais sans plus, donc rien de grave.

Tout bien pesé, je m'en tirais à bon compte. Ces petits saignements étaient plus contrariants qu'inquiétants et n'allaient pas durer ; nul danger de me voir saignée à blanc. Et là, au moins, le projecteur de Scotland Yard ne risquait pas de venir me débusquer. « Là », c'est-à-dire où, au juste ? La réponse était claire, même s'il m'en coûtait d'admettre ma sottise : j'étais passée au travers du vitrage de la serre de Mr Kippersalt, aménagée, en bonne logique, en haut de la bâtisse.

La serre de Mr Kippersalt, vraiment ? Mais Flora avait parlé de lui comme s'il n'était plus de ce monde… De plus, si Flora était bien l'expéditeur des bouquets perfides, on pouvait en déduire que c'était sans doute sa serre à elle.

Tandis que ces pensées, l'une après l'autre, se mettaient en place dans mon esprit perturbé, je tendais l'oreille, redoutant l'arrivée de quelque investigateur alerté par le bruit. Mais il n'y avait rien d'autre à entendre que mon cœur qui cognait et mon souffle saccadé, tous deux revenant à la normale peu à peu, puisque rien d'alarmant ne survenait. Au bout d'un moment, il parut à peu près certain que tous mes poursuivants s'affairaient dans la rue, et que le tohu-bohu d'en bas avait couvert le bruit du verre volant en éclats.

Bon. L'endroit étant une serre chaude, la chose dans laquelle j'avais atterri ne pouvait être qu'une grande plante, d'une miséricordieuse souplesse. À présent, je sentais ses tiges qui ployaient sous moi et son feuillage vaporeux qui me chatouillait jusque sous le menton de son étrange texture de crin de cheval.

L'oreille toujours aux aguets, je tâtonnai prudemment, redoutant les bouts de verre, mais mes doigts ne rencontrèrent rien d'autre que cette végétation plumeuse, aux tiges fermes et souples à la fois. Ce végétal, quel qu'il fût, était en tout cas de belle taille, ainsi que le bac qui le contenait, car sous mes genoux et alentour je ne palpais que de la terre.

Mais à peine m'étais-je décrétée en sécurité, provisoirement du moins, et de façon très relative, que ma carcasse entière, pour une raison connue d'elle seule, se mit à trembler si violemment que me tenir droite me parut soudain au-dessus de mes forces. Cédant à l'injonction, je me laissai aller de côté, contre ces tiges souples, laissant le fin feuillage se refermer sur moi. Je ne sentais toujours nul rebord ni limite à ce… ce quoi, au juste ? À croire que j'étais tombée au cœur d'une jungle.

Peu importait. Il me fallait quelques instants de repos. Une minute ou deux. Le temps de laisser passer mon accès de « tremblote ». Ensuite, je chercherais par où filer. Pelotonnée en chien de fusil, les mains sur la poitrine – sur le pommeau de ma dague –, je fermai les paupières.

« Cré nom de d'la ! » explosa une voix. Ou peut-être était-ce un juron plus relevé, je n'en saisis vraiment que la musique. On a toujours du mal à admettre qu'on s'est endormi par mégarde. Pour un peu, on préférerait dire qu'on s'est évanoui – à ce détail près que je ne suis pas du genre à tourner de l'œil. Quoi qu'il en soit, je battis des paupières. La lumière brouillée de l'aube filtrait au travers d'une frondaison verte, aussi finement ciselée que celle de… Mais oui ! L'identification était facile, en plein jour : j'étais nichée au cœur d'un opulent carré d'asperges.

« Mes chéries ! se lamentait la voix, une grosse voix de femme, sans doute celle de Flora. Ma p'tite aubépine ! Ma bignone ! Mes campanules ! Et des bouts de verre partout, et le froid qui entre ! »

Si j'ai un peu honte d'avouer que je m'étais laissée surprendre ainsi comme une bécasse, je dois dire que, telle la bécasse, j'eus la présence d'esprit de ne bouger ni pied ni patte. Seuls mes doigts, sans bruit, se refermèrent sur le pommeau de ma dague.

Des pas gravissaient un escalier tout proche.

« C'te vermine ! Elle a eu le culot d' venir là ! Dans ma serre ! Si je l'attrape, je te la…

— Flora, calme-toi. » Pertelote, très lasse. « D'ailleurs, elle est loin, à l'heure qu'il est. »

Si seulement !...

« Et d'abord, c'est qui, c'te traînée, hein ? » Merci, Flora, merci. « Qu'est-ce qu'elle nous veut ?

— Comment veux-tu que je le sache ? » Le langage de sa cadette ne semblait guère surprendre Pertelote. Mais elle durcit le ton : « Si je le savais...

— J'ui ferai son affaire, moi, tu peux êt' sûre ! Je la r'trouverai, j'ui ferai son affaire. Comme à...

— *Flo-ra !* » C'était dit avec tant de force que l'autre se tut net. « Non, tu ne feras rien du tout. Plus jamais, tu m'entends ? »

Flora grommela quelque chose, trop bas pour que j'en saisisse le sens. Mais Pertelote éclata : « Qu'est-ce que tu racontes ? Tu lui as fait *quoi*, au Dr Watson ?

— Moi ? Rien ! Qui a dit que j'ai fait quelque chose ? pleurnicha Flora. Pourquoi tu me houspilles comme ça, après c' qu'on vient de faire à ma serre ?

— Oh ! pour l'amour du ciel, ta serre, ta serre ! Y' a pas de quoi fouetter un chat. Appelle le vitrier, et qu'on n'en parle plus. » L'exténuement perçait sous la voix de Pertelote. « Et je te préviens : tu as intérêt à n'être pour rien dans les ennuis du Dr Watson. Pour rien, tu m'entends ? Bon, mon thé refroidit. »

Un pas lourd dans l'escalier. Pertelote redescendait.

« Si elle croit qu'elle peut m' faire des crasses ! »

gronda sa cadette – à l'intention de ses chéries, je suppose. « Son thé ! Est-ce que j'ai d' l'appétit, moi, avec tout ça ? Oh, mais j' la laisserai pas faire, ça non ! »

Sur quoi, son pas traînant suivit celui de son aînée, et j'entendis claquer la porte de la serre.

Je restai là sans bouger, cachée mais prise au piège, dans mon nid en feuillage d'asperge. À mon désarroi, je me remis à trembler.

Tu crois que c'est le moment, Enola ?

Mais cette façon de parler de « faire son affaire à quelqu'un » comme on dirait « il faudra que je lui en touche un mot » ! Et cette allusion au Dr Watson…

Tu y repenseras plus tard. Pour l'heure, il faut t'arracher de là.

Mon tremblement redoubla.

Dans l'espoir de l'apaiser, j'usai du remède éculé : invoquer ma mère. « Tu te débrouilleras très bien toute seule, Enola. » L'heureuse surprise était que penser à elle ne me faisait plus mal du tout ; c'était bon, au contraire. Mes tremblements se firent moins violents. Je redevins capable de réfléchir.

Il n'y avait pas trente-six plans d'action possibles. Je commençai par m'asseoir au milieu des asperges, ravalant un petit gémissement tant ma pauvre carcasse était endolorie après sa gymnastique nocturne. Je retirai mes bottines et, sans bruit, je m'extirpai de ma cachette végétale – laquelle se révéla occuper un immense bac d'acier galvanisé, posé sur des madriers. Le tout faisait bien six ou sept pieds de longueur et presque autant de largeur sur trois ou quatre de profondeur[1], je le découvris une fois sortie de là, tout comme je découvris la trouée laissée dans la verrière par mon entrée inopinée, ainsi que les éclats de verre projetés un peu partout, dans les asperges, dans le petit buisson d'aubépine rouge en fleur, dans les pavots blancs…

Mais je n'accordai au contenu de la serre qu'une attention réduite, ne fût-ce que parce que, à mon affolement, je me sentis chanceler. Et quoi d'étonnant, à la réflexion ? Non seulement j'étais courbatue, mais encore je n'avais rien avalé depuis vingt-quatre heures. Je plongeai les mains dans mes poches, à la recherche de ces pastilles dont j'avais presque toujours une petite boîte. Mais mes poches étaient vides. Je m'étais habillée trop vite, j'avais omis ce bagage vital.

Barbe de barbe ! Vite, filer. Avant de tomber d'inanition.

Mes bottines à la main, je gagnai à pas de loup – un loup rhumatisant, à pattes molles – la porte de la serre. Là, je tendis l'oreille.

1. Environ deux mètres sur deux mètres, et un mètre à un mètre vingt de profondeur.

Comme espéré, les deux sœurs étaient en pleine prise de bec. Criez, criez, leur dis-je *in petto* ; ainsi, je sais où vous êtes. Restait à espérer que les domestiques, si domestiques il y avait, étaient occupés à écouter aux portes…

Mais il n'y avait sans doute pas de domestiques. Si Flora était ce qu'elle semblait être, employer des gens de maison était courir le risque qu'ils n'en découvrent trop long.

Furtivement, j'entrouvris la porte de la serre, me coulai au-dehors et descendis sur la pointe des pieds l'escalier à claire-voie.

Dans l'une des pièces de la façade avant, Flora avait repris sa ritournelle : « Tu veilleras sur moi toujours, hein, grande sœur ? Dis-le ! Tu veilleras sur moi toujours, toujours. »

Sauf la fois où les rats lui avaient dévoré le visage.

Le cœur glacé et les jambes en coton, je poursuivis ma descente, traversai un office désert, ressortis par une porte de derrière et m'élançai dans la rue au trot, sans souci de mes pieds meurtris, sans reculer devant l'idée de traverser là l'un des quartiers les plus mal famés de tout Londres.

CHAPITRE XV

PARADOXALEMENT, dans ces ruelles douteuses, être échevelée, débraillée constituait plutôt une protection. Les ivrognes cuvaient à même le pavé leurs excès de la veille au soir. Une petite fille en sarrau de toile et sans rien de bien chaud par-dessous me regardait passer, ses pieds nus bleus de froid. Des gamins aux chemises trouées, aux pantalons trop larges pour leurs petites jambes malingres poursuivaient une dame relativement bien mise en tendant leurs mains maigres. Des ménagères ouvraient leur porte et jetaient prestement leur eau sale au ruisseau, en évitant tout de même d'asperger les passants, pour l'essentiel des ouvriers partant pour le travail. Un vendeur des rues poussait sa charrette à bras en lançant son incantation : « Pains chauds, saucisses, pudding ! Pudding bien gras, tout chaud ! »

Nul ne me prêta attention lorsque, m'accordant une minute, je m'arrêtai pour chausser mes bottines à la diable, et pas davantage lorsque j'achetai au vendeur ambulant une saucisse innommable, que je mâchouillai en reprenant mon petit trot, cahin-caha. Si la charmante miss Everseau s'était aventurée dans ces rues peu recommandables, en moins d'une minute elle se serait retrouvée délestée de tous ses biens, et aurait pu s'estimer heureuse si on lui avait laissé sa chemise. Mais une pauvre fille ébouriffée, dépenaillée, avec des égratignures comme si elle sortait d'une bagarre, il n'y avait vraiment pas là de quoi regarder à deux fois.

De retour dans mon quartier, cela dit – celui de mon logis temporaire s'entend, dans la rue du Dr Watson, plus proche de Holywell Street que mon gîte de l'East End –, je me sentis nettement plus exposée. Par chance, ma logeuse au regard d'épervier était sortie pour la journée. Je n'en dus pas moins acheter contre un shilling le silence de sa petite bonne, avec promesse d'un deuxième si elle se contentait de dire à sa patronne que j'étais souffrante, et que j'avais prié qu'on déposât mes repas à la porte de ma chambre. Contre un shilling de plus, j'obtins aussi un bain chaud et l'assurance que, là encore, ma logeuse n'en saurait rien.

C'est ainsi qu'en début d'après-midi, restaurée, enfin propre et décemment vêtue d'une robe d'intérieur à fleurettes, la petite entaille au-dessus de ma lèvre dûment tamponnée d'un peu de teinture d'iode, je faisais les cent pas dans ma chambre, incapable d'accorder repos à mes membres harassés, parce que mon esprit, pour sa part, refusait de tenir en place.

Les paroles de Pertelote dansaient la sarabande

dans ma tête. *Flora. Tu ne feras rien du tout. Plus jamais, tu m'entends ? Tu lui as fait* quoi, *au Dr Watson ?*

Dieux du ciel. Il fallait que je sache. Pour porter secours au Dr Watson. Pitié, faites qu'il soit en vie ! Cette Flora. Il me fallait absolument en savoir plus sur elle. Son nom de famille, pour commencer. Et si elle avait réellement tué quelqu'un. Et si elle avait séjourné à l'asile. Et si c'était bien le Dr Watson qui avait signé l'ordre d'internement, ce qui pouvait expliquer un désir de vengeance. Il fallait aussi que je sache quelle était au juste la procédure à suivre pour faire enfermer un malade mental. Tout ce que j'en savais, au fond, était qu'il fallait des papiers, et la signature d'un membre de la famille, plus celle d'un médecin, non, de deux. Les réponses à ces questions, je ne pouvais les obtenir qu'en allant rendre visite à un bureau d'arrondissement, à la police, à l'asile psychiatrique – Colney Hatch, selon Pertelote. Bref, il me fallait enquêter.

Oui, mais avec ma lèvre supérieure entaillée, même de façon peu sérieuse, je ne pouvais effectuer ces démarches sous les traits de miss Everseau. Une femme de cette qualité s'interdisait toute sortie, toute visite, au moindre bouton sur le nez…

Or je n'avais aucun autre déguisement sous la main, pas même un voile – qui m'eût d'ailleurs été inutile : seule la charmante miss Everseau, suivant mon expérience, était en mesure de soutirer des informations du petit monde de la bureaucratie.

Tant que cette entaille au-dessus de ma lèvre n'aurait pas cicatrisé – et tourner en rond dans ma chambre n'y changerait rien, il y faudrait cinq ou six jours au moins –, tant que j'aurais cette petite marque suspecte ou que je n'aurais pas trouvé le moyen de la masquer, je ne pourrais rien faire.

Ce n'était pas tolérable. Et le Dr Watson, pendant ce temps ? Qui pouvait dire ce qu'il encourait ?

Qui pouvait dire ce qu'il en était de lui déjà, peut-être ?

Et que le diable emporte… tout ! C'était insoutenable.

Laisser Watson cinq ou six jours de plus à la merci d'une Flora ? Non, si je tenais à ma propre estime, je ne le pouvais tout simplement pas. Et cependant, je ne voyais que faire, sauf peut-être…

Sauf à alerter mon frère Sherlock.

Cette seule pensée me mit dans tous mes états. Le revoir ? Il n'en était pas question. Lui envoyer un message, alors ? Il aurait tôt fait de retrouver ma trace, il était si roué ! Un rien pouvait le mettre sur ma piste – le choix de mon papier à lettres, la couleur de mon encre, une empreinte de postier… Non, je ne pouvais pas prendre ce risque.

Et cependant, il le fallait.

Si je ne faisais rien, et s'il arrivait malheur au Dr Watson...

Un coup à la porte, à peine audible, interrompit ma rumination. « Journal, ma'am », fit la voix timide de la petite bonne, que j'avais envoyée me chercher la *Pall Mall Gazette*.

« Merci. Laissez-le sur le guéridon, je vous prie. »

Sitôt la gamine repartie, j'emportai le journal dans ma chambre et, déambulant toujours, j'y recherchai en hâte des nouvelles du Dr Watson. Rien de nouveau à son propos. Je déposai sur le lit les pages sans intérêt pour parcourir les Avis personnels.

Comme je m'y attendais, pour le troisième jour consécutif figurait l'annonce 422555 – 415144423451 22231142511523 5315 2415114341 111212513154-155115445133514354 5411 31113353334223 2351, que je n'avais plus à déchiffrer. IVY – DÉSIRE GLAÏEUL : OÙ ? QUAND ? AFFECTUEUSEMENT, TA CAMOMILLE.

Et j'étais toujours aussi perplexe à son propos.

Je connaissais Mère. Cet « affectueusement » ne lui ressemblait pas. Le message n'était pas d'elle.

Pourtant, comme j'aurais aimé qu'il le fût ! Et en ce moment plus que jamais. Au sujet du Dr Watson, elle aurait su que faire, elle, j'en étais certaine.

Et si, malgré tout, ce message venait bien d'elle ? Pouvais-je laisser passer cette chance, même infinitésimale ? Si Mère m'offrait son affection, et si je ne répondais pas, me l'offrirait-elle à nouveau ?

Peut-être, soupçonnant que je lui en voulais un peu, avait-elle cherché à se faire pardonner ?

D'un autre côté, ce « où ? », ce « quand ? » me semblaient illogiques. C'était Mère qui avait à se déplacer, c'était elle qui devait venir à Londres – je ne savais d'où. N'était-ce pas plutôt à elle de fixer le lieu et la date du rendez-vous ?

Et si… et si le message provenait de quelqu'un qui ne voulait pas éveiller mes soupçons en proposant un lieu qui ne me conviendrait pas ?

Et tandis qu'une fois de plus mes pensées tournaient en rond à la façon d'un chiot jouant avec sa queue, mes yeux continuaient de passer au crible les Avis personnels, où rien ne semblait digne d'être regardé de près, lorque je tombai en arrêt sur cette annonce très brève, en lettres capitales :

ALOUETTE ALOUETTE ETTEUOLA ETTEUOLA

Ni dédié ni signé.

ALOUETTE ALOUETTE ETTEUOLA ETTEUOLA

C'était tout.

Je clignai des yeux, déconcertée – comme bien

d'autres lecteurs sans doute – par ce message simplissime, imprimé en caractères si gras, si gros qu'il ne pouvait échapper à personne. À peine un message codé tant le code en était transparent ! « Etteuola », c'était « alouette » écrit à l'envers, tout simplement. En miroir, autrement dit.

Miroir – aux alouettes…

Quelqu'un qui cherchait à prévenir quelqu'un d'autre.

Mais, mais, mais… *alouette* ! Mère m'appelait son alouette, parfois, comment avais-je pu l'oublier ? Ce qu'elle entendait par là, je ne le savais trop. Peut-être l'oiseau libre, l'oiseau qui monte très haut, petit point dans le ciel, pour y lancer ses trilles ? Ou était-ce l'oiseau nigaud, l'oiseau étourdi, facile à berner, facile à prendre au piège du miroir, justement ? En tout cas, je n'avais jamais détesté entendre Mère m'appeler ainsi…

ALOUETTE ALOUETTE ETTEUOLA ETTEUOLA

Malgré moi je ris tout bas, doublement soulagée.

C'était un message codé, après tout ; d'une simplicité si enfantine que seule ma mère pouvait y avoir songé. Et c'était bel et bien dédié, pour finir : à moi, directement. Peut-être même signé, aussi. Mère n'était-elle pas, à sa façon, une alouette ? Quoi qu'il en soit, « miroir, miroir », la mise en garde était claire ! Et grâce à ces mots en miroir, je savais maintenant que le message au glaïeul était un faux, un piège, sans nul doute concocté par mon aîné Sherlock. Et je savais autre chose, qui comptait plus encore : Mère n'avait sans doute rien de maternel au sens habituel du terme, mais elle tenait à moi et elle veillait sur moi. À sa manière.

La tâche ardue d'aider mon détective de frère à retrouver le Dr Watson sans risquer de me faire capturer, moi, n'en était en rien facilitée, mais je me sentais mieux capable d'y faire face. L'image de ma mère en tête, chaleureuse et rieuse à présent, je me calmai assez pour m'asseoir enfin. Forte de ma résolution d'intervenir, je pris un crayon et une feuille de papier, format ministre.

Bien. Que devais-je transmettre à mon frère, et que pouvais-je passer sous silence ?

Mais d'abord, de quoi étais-je certaine ?

Le papier sur mes genoux, doublé du journal replié, je griffonnai :

Ce dont je suis sûre :
– Pertelote a dit « L'a fait quoi, encore ? » ;
– Flora parle du mari de Pertelote, Mr Kippersalt (« Gus » ? je ne suis pas certaine d'avoir bien entendu),

comme s'il n'était plus de ce monde; les paroles de Pertelote à ce propos sont moins claires;
– Pertelote a dit à Flora qu'elle ne devait plus jamais «planter personne» (???);
– Flora a répondu

Qu'avait répondu Flora ? Ah oui : une histoire de papiers qu'elle aurait remplis « pour le faire mettre là où il m'a fait mettre »... ajoutant qu'il y serait très bien.

– Flora a répondu n'avoir «planté» personne, avoir juste rempli des papiers pour faire mettre quelqu'un quelque part. Parlait-elle de Mr Kippersalt ? Ou du Dr Watson ?
– Autre question de Pertelote à Flora : « Tu lui as fait quoi, *au Dr Watson ? » D'après Flora : « Rien »;*
– Flora s'habille en homme;
– À peu près sûrement, c'est elle qui a fait livrer les bouquets suspects;
– Parlant de moi, Flora a dit : « J'ui ferai son affaire » ! Et Pertelote a répondu : « Non, tu ne feras rien du tout. Plus jamais ».

Je mordis mon crayon à grands coups de dents, puis je me résolus à écrire :

Flora aurait-elle tué le Dr Watson ?

Question perturbante entre toutes.

Entre deux phrases, machinalement, j'avais gribouillé de petits dessins dans la marge. Je me mis soudain à dessiner pour de bon. Sans être une artiste – ce qui impliquerait d'avoir travaillé en ce sens –, j'ai un certain coup de crayon, disons un début de talent de caricaturiste, et j'ai toujours trouvé que gribouiller m'aidait à réfléchir. Je commençai donc par esquisser un portrait de Pertelote. (Quel était son vrai nom, à propos ? M'avait-elle reconnue, espionnant à sa fenêtre ? Encore des questions sur lesquelles j'enrageais de ne pouvoir enquêter.) Puis je dessinai Flora. En homme, avec barbiche et faux nez. À mon avis, étant donné la texture grossière de la fausse peau et du mastic à maquiller, Flora devait avoir moins de mal à se faire un visage crédible au masculin qu'au féminin. Et Pertelote, en le lui interdisant, faisait preuve d'étroitesse de vue. Mais comment Flora en était-elle venue à ce déguisement ?

Mon infortuné crayon y gagna quelques nouvelles empreintes de dents, puis j'inscrivis :

– Flora a dit : « Fallait bien que je joue un peu le rôle de ton mari, dis voir ? » Et Pertelote lui a répondu de « le laisser en paix ».

Malgré une tendance à douter de moi depuis que s'était effondrée ma thèse – pourtant brillante, oh combien ! – attribuant la disparition du Dr Watson à la vengeance d'un amputé du nez, j'échafaudai divers scénarios autour de Pertelote, de Flora, et de l'introuvable Mr Kippersalt.

Entre autres, j'envisageai celui-ci : bien qu'ayant essayé, au début, de venir en aide à la sœur de sa femme, Mr Kippersalt avait fini par ne plus la supporter, et l'avait donc fait enfermer à Colney Hatch. (Tout en réfléchissant, je dessinais Flora, lui prêtant des traits proches de ceux de son aînée.) Mais Pertelote, qui se dévouait pour sa jeune sœur depuis l'horrible accident des rats, n'avait pas supporté, à son tour, de la voir dans un asile d'aliénés – même si la santé mentale de Flora, hélas, semblait pouvoir justifier ce placement. Contrainte de choisir entre son mari et sa sœur, elle avait défendu la seconde, défié le mari, et ramené Flora à la maison.

Peu après… Flora avait tué Mr Kippersalt.

L'événement, selon toute vraisemblance, n'avait pas brisé le cœur de Pertelote. L'aînée avait même aidé sa cadette à masquer le crime en laissant entendre au monde extérieur que son mari était toujours en vie. Dans le même temps, elle s'était efforcée de tenir sa sœur sous contrôle, ne fût-ce que pour l'empêcher de commettre d'autres forfaits. Mais

Flora paraissait décidée à n'en faire qu'à sa tête...
Bon sang, mais... c'était bien sûr !
Je repris mon crayon, fébrile.

–Autre parole de Flora : « Tu le regretteras ! Et aussi le docteur que t'auras fait signer pour ça ! »

Le docteur comme signataire... C'était clair : Flora gardait une dent contre le Dr Watson pour avoir signé l'ordre de la faire enfermer. Cette fois, j'aurais presque juré que j'avais vu juste.
Restait une question... Que lui avait-elle fait ? « Son affaire » ?
C'était trop dur. Je refusais d'y croire.
Un bref instant, je me mis au défi de dessiner Flora telle que je l'avais vue, le nez et la fausse peau arrachés. Mais là encore, c'était trop dur. Pauvre, pauvre femme. Et pauvre Pertelote aussi, dévouée corps et âme à sa jeune sœur défigurée. J'imaginais deux gamines des bas quartiers, laissées seules à la maison tandis que leur mère faisait des ménages chez des personnes plus fortunées. Ou peut-être avaient-elles été orphelines très tôt. Ou peut-être la mère avait-elle cessé d'aimer l'aînée depuis le jour où, rentrant chez elle, elle avait trouvé la toute petite défigurée par des rats. Ou peut-être était-ce la petite qu'elle avait cessé d'aimer. Mère ou pas, tendre ou non,

grandir dans ces conditions... il y avait de quoi perdre la raison.

Je réprimai un frisson, et découvris que, sans y penser, j'étais en train de changer Flora en fleurs.

Une bouche en liseron, un nez en bouton de rose à l'envers, des yeux en pavot, et pour chevelure, du feuillage d'asperge, vaporeux, hirsute. De l'Arcimboldo naïf, un bouquet farfelu s'il en fut.

Nom d'une pipe en bois de sapin ! J'étais de retour à la case départ.

Toutes ces fleurs, hormis la rose – qui, à l'envers, semblait un déni d'amour –, s'étaient trouvées dans le premier bouquet, celui que j'avais vu chez Mary Watson.

Et toutes avaient eu un sens, hormis le brin d'asperge. L'asperge en avait-elle un ?

Autre question, à propos : pourquoi Flora cultivait-elle cet immense bac d'asperges dans sa serre ?

Pour les déguster ? Elle avait là de quoi offrir un banquet à tout Holywell Street.

Pour en agrémenter des bouquets, alors ? Mais c'était tout Londres qu'elle aurait pu approvisionner ! À présent, à force d'y penser, il me revenait que Mère m'avait dit qu'il était assez classique de marier ce feuillage avec des fleurs. En France, en tout cas, elle avait vu certains fleuristes en ajouter à la plupart de leurs bouquets, pour une touche de verdure, pour faire plus léger... Elle s'était même amusée de leur façon de baptiser ce feuillage, pompeusement, *asparagus*, et de prononcer le mot comme s'il s'agissait d'une plante exotique...

Asparagus.

Gus.

Gus !

Je me dressai comme un ressort avec un petit cri, envoyant crayon et papier voltiger chacun de son côté.

Je pouvais me tromper, bien sûr. Et pourtant, j'étais presque certaine d'être dans le vrai tant les pièces du puzzle semblaient s'emboîter d'elles-mêmes.

Cette fois, surtout, je savais exactement que faire.

CHAPITRE XVI

RIEN NE M'OBLIGEAIT, pour finir, à mettre ma liberté en péril par l'envoi d'une lettre à mon frère Sherlock.

À la place, un peu ivre d'excitation, je pris une feuille de papier vierge et me lançai dans la composition d'une autre forme d'épistole.

Quelques instants plus tard, mon message était prêt :

11155253153441321542 33424142 1144422351 315323435155 3211543132 4151331143415134 3334 13421414513444112354. E.H.

Je ne me permis pas d'hésiter sur la bravade qui consistait à signer de mes vraies initiales. Ma ressemblance avec mon frère Sherlock ne se limitait pas à mon appendice nasal ; moi aussi, j'avais besoin de mes petits instants théâtraux.

Et moi aussi, j'aimais – j'aime toujours – créer la surprise. C'est pourquoi, cher lecteur, je ne révèle pas immédiatement le sens du message ci-dessus. Et, bien que je te sache parfaitement capable de le déchiffrer seul, j'espère que tu te retiendras de le faire durant les quelques pages où je garde le secret.

Sitôt ce message codé recopié à l'encre, je le tamponnai au buvard, pliai le feuillet, le scellai à la cire. Après quoi, je réfléchis au meilleur moyen de le livrer à la *Pall Mall Gazette* sans délai, de manière à en assurer la parution dans l'édition du lendemain matin. Il était impensable de confier à un gamin des rues quelque chose d'aussi important. Mais faire appel à un porteur de métier, employé d'un service de messagerie, c'était permettre de remonter à moi sans difficulté. Non, plus j'y réfléchissais, et plus j'en arrivais à cette conclusion : je devais aller là-bas en personne.

Fort bien. Il ne me restait qu'à plâtrer la petite coupure au-dessus de ma lèvre d'une bonne couche de « cosmétique confidentiel », une combinaison de fard couleur chair et de poudre. Ce n'était sans doute pas une aide à la cicatrisation, mais pour un temps aussi bref le dommage ne serait sans doute pas bien grand, et ce camouflage ferait illusion. Je laissai néanmoins décliner un peu la lumière du jour, puis, dans la même tenue sombre que la veille, mon chapeau à large bord complété d'une voilette pour faire bonne mesure, je me mis en chemin pour Fleet Street.

Tout se passa pour le mieux. Contrairement à mes appréhensions, je n'eus pas affaire, comme la veille, à Son Altesse au bec pincé, mais à un employé indifférent, qui me jeta à peine un coup d'œil, prit mon argent, prit mon message, et me promit d'envoyer celui-ci directement à l'imprimerie, pour une parution dans l'édition du lendemain matin.

Parfait. Je n'avais plus qu'à rentrer au gîte, commander mon dîner, puis à me mettre sagement au lit comme une jeune lady bien élevée.

Mais si je suivais ce beau programme, je le savais par avance, le marchand de sable n'allait pas passer de sitôt. Je me sentais comme un boisseau de puces, tout à la fois excitée, appréhensive et angoissée. Pourtant, j'étais à demi rassurée : si le Dr Watson se trouvait bien là où j'avais cru pouvoir déduire qu'il se trouvait, une nuit de plus en ce lieu ne lui ferait guère courir de risques.

Dans ma tête, encore et encore, je récapitulais les étapes de mon raisonnement, et parvenais toujours à la même conclusion. Oui, mais… et si j'avais négligé un détail ? Et si je m'étais trompée du tout au tout ? Et si je n'étais qu'une écervelée, qui avait laissé son imagination s'emballer, inventant de toutes pièces un roman policier au lieu d'aller directement trouver le grand Sherlock Holmes, homme d'action, afin de lui remettre les rênes ?

Non, regagner ma chambre tout droit était proprement impensable. Forte de l'idée que ma tenue sombre me rendait presque invisible dans le soir tombant, et réconfortée par la présence de ma petite dague comme par un gri-gri, je m'enfonçai plutôt dans cet « étouffant labyrinthe de rues étroites, ruelles et arrière-cours enserrées de taudis surpeuplés, où l'air et la lumière ne pénètrent jamais et où prospèrent la fange, la maladie, le vice… », comme le dépeignait élégamment le *Penny Illustrated Paper* – autrement dit, dans ce quartier du vieux Londres attendant rénovation, juste derrière Holywell Street. Celui-là même où, au matin, j'avais vu une petite fille en sarrau grossier, sans robe par-dessous, ses pieds nus bleuis par le froid.

À cette heure de la soirée, les rues étaient peuplées d'hommes et de femmes à moitié ivres, de vendeurs ambulants vantant à pleine voix leurs coquillages ou leurs pâtés chauds, et de femmes aux lèvres trop rouges vendant tout autre chose. En plus des mendiants classiques, il y avait des artistes de rue, comme ils se baptisaient eux-mêmes, et je m'arrêtai un instant pour observer, sous un réverbère, le spectacle offert par un petit vieux crasseux et son rat « savant ». Il avait dressé l'animal à se tenir sur ses pattes de derrière et, au moyen d'un mouchoir blanc dont il le revêtait astucieusement, de différentes manières, il faisait du rongeur un sénateur romain en toge, un pasteur anglican en aube, un avocat à perruque blanche, et pour finir, à l'aide d'un second mouchoir, une duchesse présentée à la cour. Il avait ainsi attiré toute une petite foule amusée, mais qui se dissipa comme fumée lorsqu'il tendit sa casquette. Je fus la seule à lui glisser une pièce. Puis je m'éloignai à mon tour, en quête d'enfants que l'appel du gin avait privés de leurs parents.

Il y avait trop longtemps que je n'avais pas effectué ce genre de ronde vespérale. Pas seulement des jours et des jours, mais des semaines et des semaines.

Avisant des gamins blottis sous un porche comme une portée de chiots, je décidai de leur donner à chacun, faute de provisions à distribuer, une pièce d'un shilling… Imprudence folle – et je dus m'enfuir, car ils n'eurent rien de plus pressé que d'alerter tous leurs semblables d'un bout à l'autre de la rue. Si je n'étais parvenue à m'esquiver, j'aurais sans nul doute été proprement détroussée, toutes mes poches arrachées.

Longtemps encore, malgré tout, je poursuivis ma tournée, plus prudemment, penny à penny. Je ne revis pas la petite fille frissonnante aperçue le matin même, en sarrau sale et aux pieds nus, mais je me promis de revenir bientôt et de la retrouver, lui apportant de quoi se couvrir plus chaudement. Je regagnai mon logis fort tard, enfin prête au sommeil.

Du moins, c'est ce que je croyais. Et je dus m'assoupir de temps à autre, je suppose. Mais le petit matin me trouva sur le qui-vive, aussi éveillée qu'en plein jour, de nouveau changée en boisseau de puces. Alors je décidai de m'habiller pour de bon, de manière à être prête à toute éventualité. Cette fois, je m'équipai de pied en cap, avec mon attirail de survie au complet : billets de banque, petite dague, bande de gaze, teinture d'iode, biscuits, nécessaire à coudre, crayon, papier, clés, flacon de sels, fichu, mi-bas de rechange (le meilleur des rembourrages de bustier), mouchoir propre, gants, menue monnaie et – j'espérais bien ne plus jamais les oublier – pastilles au miel. Mais j'avais beau m'exhorter au calme, j'étais dans un tel état de nervosité que c'est à peine si je pus toucher au breakfast que la petite bonne vint déposer devant ma porte.

Puis, bien trop tôt dans la matinée, dûment perruquée, chapeautée, mais incapable de m'asseoir, je pris position derrière la fenêtre qui m'offrait une vue parfaite, à travers ses rideaux de dentelle, sur la maison Watson, de l'autre côté de la rue.

Là, je pus voir la bonne sortir avec un seau d'eau savonneuse et se mettre en devoir, à quatre pattes, de briquer les marches de pierre jusqu'à les rendre blanches comme craie, ce qu'elle faisait chaque matin de la semaine.

Bon, l'attente allait être longue. Avec un soupir, je résolus de m'asseoir. Du bout des doigts, je me mis à pianoter sur le rebord de la fenêtre, improvisant des airs de mon cru – entièrement muets, ce qui valait mieux, car je n'avais jamais pris la moindre leçon de piano.

La laitière passa, comme à l'accoutumée, mais menant une ânesse, ce qui était moins habituel. Quelqu'un dans la rue devait être malade, malade au point d'avoir besoin de lait d'ânesse tout chaud.

Je m'offris le luxe d'observer l'humble créature comme si elle était le premier équidé à longues oreilles que je voyais de ma vie.

Puis la rue redevint déserte et mes doigts reprirent leur récital.

La bonne des Watson, qui avait depuis longtemps fini de briquer le perron, ressortit pour en faire autant des carreaux de fenêtres.

La charrette du livreur de glace apparut à son tour, tirée par un vieux bidet très sage, qui s'arrêtait de lui-même devant chacun des seuils sur lesquels son maître devait déposer sa livraison. Le spectacle, fort lent, dura un certain temps, et je n'en perdis aucun détail, pas même le coloris de la robe du cheval. Était-ce « bai brun » ? « aubère » ? Nul n'étant là pour me contredire, je finis par le déclarer « rouan ».

Le livreur de glace et son brave canasson disparurent de mon champ de vision. Mes doigts de pianiste virtuose avaient perdu toute inspiration et reposaient, immobiles. L'impatience fiévreuse avait laissé place à une sourde appréhension, la hantise d'une déception.

Il ne restait plus qu'à attendre.

Et attendre.

Et attendre.

Comme c'était un fiacre que j'attendais, c'est à peine, dans un premier temps, si je prêtai attention à la calèche qui arriva du haut de la rue. D'un œil distrait, je la regardai s'approcher, capote ouverte, supposant qu'il devait s'agir de quelque vieille dame qu'on sortait au grand air, aux côtés de sa gouvernante. Puis j'aperçus ses passagers…

Je sautai sur mes pieds et poussai un cri de joie, aussitôt étouffé à deux mains – comme si mon frère pouvait m'entendre.

Mon frère, oui. Mais, à ma stupeur, pas mon frère Sherlock.

À sa place, aisément identifiable à son haut-de-forme, son monocle et sa grosse chaîne de montre sur un généreux estomac tendu de soie, c'était mon autre frère, Mycroft !

Celui qui se souciait de moi comme d'une guigne. Celui qui ne savait que donner des ordres. Celui dont l'univers était enclos dans un triangle immuable entre son domicile, son bureau au gouvernement et son club privé. Celui pour lequel rien d'autre n'existait.

Ou du moins était-ce ce que j'avais cru.

À tort. De toute évidence, Mycroft avait bel et bien cherché à me retrouver. Il était même allé plus loin que Sherlock dans la maîtrise du code floral par le biais duquel nous communiquions, Mère et moi. Et il avait compris, à mon péril, quel type d'hameçon employer pour me prendre. Car c'était lui, manifestement, qui avait placé dans la *Pall Mall Gazette* le message disant : IVY – DÉSIRE GLAÏEUL : OÙ ? QUAND ? AFFECTUEUSEMENT, TA CAMOMILLE.

La preuve ? C'était lui qui venait de réagir au message que j'avais cru adresser à Sherlock, 11155253153441321542 33424142 1144422351 315323435155 3211543132 41513311434151З4 3334 134214145134441123 54. E.H.

À présent, cher lecteur, il est temps pour moi de dévoiler le sens dudit message, si tu ne l'as pas déjà déchiffré par toi-même.

Rappelons la règle du jeu. On commence par répartir l'alphabet sur cinq lignes de cinq lettres, le Z s'ajoutant en surnuméraire à la cinquième. Dans mon message, codé suivant le système adopté par Mycroft (et que j'avais attribué à Sherlock, donc), les deux premiers chiffres renvoient à la première lettre de la première ligne, A. Les deux suivants, à la première lettre de la cinquième ligne, U. Les deux suivants, à la cinquième lettre de la deuxième ligne, J. Et ainsi de suite. Ce qui donne, pour le premier groupe de chiffres : AUJOURDHUI.

Et le message complet, en clair : AUJOURD'HUI MIDI, ASILE COLNEY HATCH. DEMANDER MR KIPPERSALT.

Signé : E.H.

Telle était la convocation qu'avait découverte Mycroft dans sa *Pall Mall Gazette* du matin – convocation à laquelle il pouvait difficilement refuser de se rendre, si perplexe fût-il.

Ce qui s'était passé ensuite, lorsque, à Colney Hatch, Mycroft s'était retrouvé face à « Mr Kippersalt », je ne pouvais que l'imaginer. Mais il était clair que Mr Holmes – ici, l'un ou l'autre de mes frères aurait fait l'affaire, tous deux étant très « classes supérieures » et rompus à se faire obéir –, il était clair, disais-je, que Mycroft avait eu tôt fait d'obtenir la libération de ce Mr Kippersalt, car à sa droite était assis – je le vis lorsque s'arrêta la calèche, oui, hourra ! j'avais deviné juste – le Dr Watson en personne.

Le bon docteur cher à mon cœur, pas des plus sémillants, je dois dire, et comment l'eût-il été, sachant ce qu'il venait de vivre ? Mais bien vivant, et en un seul morceau.

Ses traits illuminés d'un large sourire.

La scène qui suivit n'aurait pu satisfaire davantage l'espionne derrière son rideau. Alertée par le cri de sa bonne à la vue de l'un des passagers de la calèche,

Mary Watson sortit en trombe et dévala le perron sans presque toucher les marches. Sitôt le docteur descendu de voiture, un peu vacillant, elle ouvrit les bras et l'étreignit, directement sur le trottoir, au vu de tous.

Mieux encore : alors surgit du fond de la rue – au galop, fort illégalement – un petit fiacre découvert, qui vint se ranger derrière la calèche et d'où descendit un grand diable tout en bras et jambes, lequel serra la main de son vieil ami, longuement, chaleureusement. Jamais je n'avais vu mon frère Sherlock rayonner de la sorte.

Et moi, grimaçant de joie malgré un serrement de cœur, malgré ce sentiment familier, doux-amer, de n'avoir droit à l'affection qu'à distance, je dévorai des yeux la scène jusqu'au moment où la porte se referma sur les acteurs. Calèche et fiacre repartirent ; mon petit instant théâtral était terminé.

Alors, entre soupirs et joie au cœur, je commençai à rassembler mes affaires. L'heure était venue pour moi de regagner mes pénates dans un quartier nettement moins aisé, mais plus sûr pour ma liberté, sous le toit de cette bonne Mrs Tupper.

CHAPITRE XVII

DANS L'ÉDITION SUIVANTE de la *Pall Mall Gazette* figurait cette petite annonce, à la rubrique Avis personnels :

À l'attention d'E. H. : Compliments et lauriers. Nos humbles remerciements. S. & M.

Diable, quelle surprise ! Et que c'était bon à prendre !

Confortablement installée dans ma chambrette chez Mrs Tupper, en robe d'intérieur et les pieds sur un pouf, je relus ces mots délicieux : *À l'attention d'E. H. : Compliments et lauriers. Nos humbles remerciements. S. & M.*

Je sentis un sourire béat, stupide, étirer ma bouche balafrée. Ces félicitations fraternelles me touchaient et me faisaient plaisir au plus haut point. Cependant, je me rappelai à la prudence. Rien ne me permettait de penser que mes aînés avaient changé d'avis en ce qui concernait les pensionnats pour jeunes filles, la place de la femme dans la société, ce genre de menus détails... Malgré tout, c'était gentil à eux de reconnaître mon rôle dans le dénouement de l'affaire – affaire qui semblait si simple à dénouer, une fois qu'on tenait le fil !

Pour moi, j'avais saisi ce fil grâce au grand bac d'asperges. Ou plutôt d'*asparagus*.

Gus. Diminutif d'Augustus.

Lequel ne pouvait être qu'Augustus Kippersalt.

Lorsque j'étais tombée sur ce nom, dans les registres d'arrondissement, je m'étais empressée de le chasser de mon esprit : le malheureux venait de se faire placer dans un asile psychiatrique, et j'en avais conclu, un peu vite, qu'il ne pouvait pas s'agir du Mr Kippersalt que je recherchais.

D'une certaine façon, je n'avais pas eu tout à fait tort. Puisque le Mr Kippersalt que je recherchais n'était plus de ce monde.

Mais le mari de Pertelote *avait été* Augustus Kippersalt.

Lequel, je l'avais déduit de fil en aiguille, à partir de mon intéressant tête-à-tête avec un grand bac d'asperges verdoyant dans une serre, n'était nullement en résidence à Colney Hatch, pour finir. En fait, j'étais prête à parier qu'il avait été « planté » en serre, et dans un grand bac, lui aussi. J'en étais même si convaincue qu'à mon regret – car j'aimais bien Pertelote – j'avais envoyé à l'inspecteur Lestrade, de Scotland Yard, un petit mot anonyme exposant mes soupçons et suggérant de diligenter une enquête à ce propos.

La mort d'Augustus Kippersalt étant restée ignorée

du monde extérieur, aucun certificat de décès n'avait été délivré.

Ainsi, toujours vivant au regard de l'état civil, Mr Kippersalt pouvait être déclaré fou. Comment Flora s'y était-elle prise pour falsifier le formulaire d'internement ? Je n'en savais rien et n'en saurais peut-être jamais rien. Pas plus que je ne saurais, sans doute, quel scénario elle avait mis au point pour parvenir, sans doute déguisée en homme, à attirer le Dr Watson hors de son club et à obtenir que les « blouses blanches » viennent s'emparer de lui. Mais il tombait sous le sens que c'était de cette façon qu'elle avait pris sa revanche.

« Je l'ai fait mettre là où il m'a fait mettre », avait-elle dit, en gros, tandis que j'écoutais à la fenêtre. « Et ça lui fera le plus grand bien. »

Je doutais fort que Colney Hatch, même pour un séjour très bref, eût fait « le plus grand bien » au Dr Watson, mais j'espérais qu'il n'en conserverait pas de séquelles.

Ma petite coupure au-dessus de la lèvre fut peut-être une chance pour moi, dans un sens, en ce qu'elle m'interdit de reprendre mes activités trop vite, au risque de me trahir.

Ce n'est qu'une quinzaine de jours plus tard, largement après que le Dr Watson eut rouvert son cabinet, que la charmante miss Everseau résolut de rendre visite à cette bonne Mary Watson.

Un rien de fard et de poudre dissimulant subtilement ce qui restait de ma cicatrice, mon petit grain de beauté dûment collé à ma tempe, ma perruque posée avec art sur ma désespérante chevelure et, là-dessus, une capeline dernier cri, je dois dire que j'avais de l'allure, à défaut d'être divine, nimbée de la tête aux pieds de mousseline crème et jaune primevère, relevée de dentelle blanc isabelle. Pour l'occasion, j'avais choisi d'apporter un bouquet composé de muguet de serre, de fleurs de pommier et d'un brin de réséda : le muguet, parce qu'il signifie le retour du bonheur ; la fleur de pommier, en vœu de santé ; quant au réséda, *alias* mignonette, j'espérais que Mary Morstan Watson saurait interpréter son message, « vos qualités surpassent vos charmes ». Le réséda est une fleur discrète, qui n'a rien d'éblouissant mais qui embaume divinement. Tout à fait la fleur à offrir à quelqu'un qu'on tient en haute estime, malgré sa grande modestie.

Debout sur le perron immaculé, tandis que ma carte de visite, « *Miss Viola Everseau* », partait sur son plateau d'argent en direction de la maîtresse des lieux, je m'interrogeai : Mary Watson, j'en étais certaine, allait accepter de me recevoir, mais… serait-elle aussi encline à la confidence que la première fois, dans le chagrin ?

J'étais venue, je l'avoue, pour le plaisir de la revoir, mais aussi dans le vague espoir de satisfaire ma curiosité : peut-être allais-je en savoir plus sur la façon dont Flora avait piégé le Dr Watson ?

En vérité, j'allais en apprendre bien davantage encore, dans le petit salon des Watson.

« Miss Everseau ! » Aussi peu apprêtée qu'un brin de réséda dans sa robe d'intérieur brun taupe, Mary Watson vint à moi, les mains tendues en signe de bienvenue. « Comme c'est gentil à vous d'être revenue ! Et quelles jolies fleurs, quel parfum ! » Elle enfouit le nez dans mon bouquet avant de le tendre à sa bonne. « Vraiment, vous êtes trop, trop gentille.

— Absolument pas. Et vous le méritez bien.

— Mais je suis une femme comblée, à présent, comme vous le savez sûrement. John est de retour, sain et sauf.

— Oui, c'est ce que j'ai appris, à mon grand soulagement – quoique sans commune mesure avec le vôtre, j'imagine.

— Oh ! j'ai cru m'évanouir de joie quand je l'ai vu. Veuillez vous asseoir, je vous en prie. Vous prendrez bien un thé ? » dit-elle, sonnant déjà.

Et moi qui avais craint de la trouver réservée ! En réalité, elle était toute prête à me raconter l'histoire en détail. Il me suffit de lui demander, entre deux gorgées de thé oolong et une bouchée de gaufrette au citron, si c'était grâce à la police que son mari avait été retrouvé indemne.

« Pas du tout. La police a reconnu n'avoir pas décelé le moindre indice concernant l'affaire.

— Mr Sherlock Holmes, alors ?

— Oh ! même lui reste confondu. Nous ne savons pas encore qui a pu commettre une chose pareille. Ce qui s'est passé, voyez-vous, c'est qu'un homme que John ne connaissait absolument pas est venu à son club pour demander à lui parler, et lui assurer que Mr Sherlock Holmes le réclamait de toute urgence pour une affaire délicate. John reconnaît avoir eu des soupçons quand ce mystérieux intermédiaire lui a conseillé de laisser toutes ses affaires, papiers, sacoche et le reste, derrière le canapé, de manière à ne pas avoir l'apparence d'un médecin. C'était un drôle de bonhomme, d'après John – une allure louche, un visage bizarre –, mais enfin bon, tout ça semblait plausible, et après tout Mr Holmes a déjà appelé John dans des circonstances au moins aussi étranges. John a donc suivi cet individu comme l'agneau va à l'abattoir, et voilà-t-il pas, au premier coin de rue, qu'un agent de police et deux ou trois gentlemen sautent à bas d'une voiture noire et le ceinturent ! Naturellement, il s'est débattu, il a protesté : "Mais qu'est-ce qui vous prend ? Ne me retardez pas, j'ai une urgence ! Il faut que j'aille retrouver Mr Sherlock Holmes qui m'a fait appeler." Alors celui qui était bizarre – ah oui ! il avait une barbe –, celui-là leur a dit : "Voyez ? Voyez comme il est ?" Et l'agent de police a répondu : "Classique. Obsession maniaque. Venez, Mr Kippersalt."

— *Kippersalt* ? m'écriai-je, m'avisant *in extremis* que j'ignorais tout de l'histoire. Je n'aurais pas vu ce nom dans le journal, il n'y a pas longtemps ?

— Si, absolument : c'est le nom de cet homme qui semble avoir été assassiné, puis enterré dans une serre, sans que personne n'en sache rien.

— Se pourrait-il qu'il y ait un rapport ?

— Mr Holmes en est convaincu. Il enquête sur ce point. Quoi qu'il en soit, ces gens de la voiture noire étaient persuadés que John s'appelait Kippersalt. Et lui avait beau répéter : "Mais vous faites erreur ! Je m'appelle Watson", ils ne voulaient pas le lâcher. Ils lui disaient : "Allons, allons, Mr Kippersalt ! Venez, venez." Et comme John insistait, une infirmière est descendue de voiture et elle a dit : "Calmez-vous, je vous en prie, Mr Kippersalt." Il a senti qu'elle lui faisait une piqûre, et quand il a repris connaissance, il était à l'asile d'aliénés, où personne ne voulait l'écouter. Ce genre de malentendu, d'après lui, suffirait à vous rendre fou, au cas où vous ne le seriez pas déjà.

— Hmm, astucieux, murmurai-je, comprenant à présent comment Flora avait mené le jeu, fine mouche malgré son esprit dérangé. Je veux dire : *diabolique*, rectifiai-je.

— Diabolique est le mot ! »

La bonne revint avec mon bouquet disposé dans un vase vert jade, et le plaça sur l'épinette. Les parfums mêlés du réséda et du muguet emplirent le petit salon, nettement plus riant sans bouquet douteux.

La servante repartie, je m'enquis : « Et sait-on qui a mis sur pied pareil stratagème ?

— Pas encore, mais John est d'avis qu'il doit s'agir d'une vengeance de la part de quelqu'un qu'il aurait fait interner pour démence. Œil pour œil, dent pour dent, en quelque sorte. À ses moments perdus, il fait des recherches dans ses dossiers.

— Mais qui donc l'a retrouvé, alors ? Mr Sherlock Holmes ?

— Pas du tout ! »

Je m'attendais à ce qu'elle en attribue le mérite à Mycroft Holmes. Au lieu de quoi, elle baissa le ton.

« L'identité de cette personne qui a permis de le libérer est peut-être ce qu'il y a de plus surprenant dans toute l'affaire. Il semblerait... » Pour la première fois, elle parut hésiter. Je n'insistai pas ; après tout, sur le plan légal, mon action pouvait se discuter. Mais avec un petit froncement de sourcils et un léger mouvement de tête, Mary Watson prit sa décision et s'inclina vers moi. « Je ne vois vraiment pas le mal qu'il y aurait à vous mettre dans la confidence, miss Everseau. Je vous demanderai simplement de garder cela pour vous. Figurez-vous, c'est miss Enola Holmes qui semble avoir joué un rôle décisif dans le retour de mon mari.

— Miss *Enola Holmes* ?

— La jeune sœur de Mr Sherlock Holmes.

— Sœur ? Je ne savais pas qu'il avait une sœur ! »

Mon intérêt n'était pas feint ; je venais de mesurer combien les dires de Mrs Watson pouvaient m'être précieux.

« Assez peu de personnes sont au courant, reconnut-elle, car cette jeune fille, voyez-vous, cause un peu de soucis à sa famille. Disons qu'elle est légèrement garçon manqué et, surtout, très volontaire. C'en est même au point que... eh bien, que ses frères ne savent pas au juste où elle se trouve.

— Je vous demande pardon ? »

Mary Watson me fournit alors un luxe de détails que j'épargnerai à mon lecteur : comment miss Enola Holmes étais venue seule à Londres et comment elle y vivait en se cachant de ses frères. Ce qui m'importait, à moi, c'était d'évaluer avec précision ce que savaient les frères en question et ce qu'ils ne savaient pas. C'est ainsi que je glanai, entre autres, une information inappréciable...

« Donc, vous ne l'avez jamais rencontrée ? hasardai-je.

— Jamais ! Et nous ignorons totalement pourquoi et comment elle a pu s'intéresser à cette affaire.

— C'est seulement à cette occasion que vous venez d'apprendre son existence ?

— À vrai dire, non. J'en avais déjà entendu parler… Mon mari se confie beaucoup à moi, vous savez, et il m'avait dit… Il s'était tellement tourmenté, voilà deux ou trois mois, de voir son ami Sherlock au bord de la neurasthénie à cause de cette jeune sœur, justement, qu'il avait pris sur lui d'aller consulter un spécialiste, le Dr Ragostin.

— Ragostin ? fis-je, les yeux ronds.

— Oui, un soi-disant "spécialiste en recherches – toutes disparitions" ». Il n'y avait pas d'excès d'estime dans sa voix douce. « Un charlatan, ni plus ni moins, pense John à présent.

— Et votre mari n'avait rien appris, donc, de ce Dr Ragostin ?

— Pensez-vous ! Il ne l'a même pas vu une seule fois. Il n'a eu affaire qu'à une jeune femme lui tenant lieu de secrétaire. »

Je fus prise d'une inspiration.

« Je me demande… Cette secrétaire, ce ne serait pas mon amie Marjory Peabody ? dis-je d'un ton pensif. C'est terrible, vous savez, ce que le déclin de l'agriculture a fait aux anciens propriétaires terriens. Marjory s'est vue obligée de prendre un emploi, et justement chez un docteur de ce genre, si je me souviens bien. Connaîtriez-vous le nom de la secrétaire de ce Dr Ragostin, par hasard ?

— Malheureusement non, j'en suis désolée. Je ne sais rien d'elle.

— Pas même à quoi elle ressemble ? Très blonde, un peu ronde ?

— Je ne saurais vous répondre. C'est à peine si mon mari a pu me dire trois mots d'elle. Tel que je le connais, il n'y a pas prêté attention. »

Ces paroles de délivrance, je les accueillis sans tressaillir, sans rien laisser voir de mon exultation intérieure. Du moins, je le crois, je l'espère, tout comme j'espère être restée d'une exquise civilité tandis que Mary Watson détaillait pour moi le mystère entourant Enola Holmes et son rôle exact dans le sauvetage de son mari. Mais j'avoue que tout du long, jusqu'à la fin de son récit et jusqu'au moment où je me levai, étreignis Mrs Watson, lui renouvelai tous mes vœux et pris congé en jeune femme de parfaite éducation, oui, j'avoue que tout du long, en pensée, je sautais de joie, si grand était mon soulagement. Hourra pour le Dr Watson, ce cœur simple !

Il n'y avait pas si longtemps, j'avais écrit, à propos de mon frère Sherlock :

… il sait que j'utilise le prénom Ivy. Il y a de fortes chances aussi qu'il ait appris, de la bouche du Dr Watson, qu'une jeune femme nommée Ivy Meshle a travaillé pour le Dr Ragostin, « Spécialiste en recherches – Toutes disparitions », premier du genre à Londres et fort probablement au monde…

Mais à en croire Mary Watson, le bon docteur ne lui avait rien révélé de tel !

À moins… à moins qu'elle n'eût reçu pour instruction de le laisser entendre, dans le seul but de me piéger ?

Mais non, c'était absurde, impensable. Personne ne pouvait humainement deviner que j'allais m'acquitter de cette visite, sous les traits de Viola Everseau ou d'une autre. De plus, toutes les remarques de Mary Watson sonnaient vrai, y compris sa tendre indulgence envers un mari peu observateur et distrait. Tout en m'éloignant, je le bénissais du fond du cœur, le cher homme. Grâce au ciel, il n'avait accordé aucune importance particulière à une certaine Miss Meshle. Il ne s'était même pas souvenu de son nom, pour ne rien dire de son prénom.

En d'autres termes, même s'il avait à présent confessé à Sherlock sa visite à ce « charlatan », il n'avait pas pu lui parler d'une dénommée Ivy Meshle.

Ce qui était pour moi une chance inespérée.

Je pouvais redevenir Ivy Meshle !

Je pouvais à nouveau suivre ma vocation.

(À ce stade, me trouvant dans la rue, je dus me retenir d'esquisser quelques pas chassés, ce qui eût été malséant pour la jeune femme respectable que j'étais censée être, et sur un respectable trottoir d'Oxford Street.)

Et peut-être qu'un jour, ce jour béni où nul ne pourrait plus m'envoyer ici ou là contre mon gré, peut-être que ce jour, celui de ma majorité, dans quelque six ans et quatre mois, il me serait possible d'exercer sous mon vrai nom ?

Enola Holmes, Spécialiste en recherches – Toutes disparitions, la première et la seule *véritable* au monde.

AVRIL 1889

« FLORA HARRIS », dit le grand détective Sherlock Holmes à son confrère et ami, le Dr Watson, tandis que tous deux se détendent après un excellent dîner chez Simpson's-in-the-Strand. « Ou plutôt Arris, devrais-je sans doute dire, cette personne étant hautement qualifiée pour se classer parmi celles qui sont nées à portée d'oreille des cloches de St Mary-le-Bow. »

Avec un léger contretemps, Watson saisit : « D'origine cockney[1], autrement dit.

– Exactement. Flora Harris, donc, et sa sœur Frances, de cinq ans son aînée. Flora ne s'est jamais mariée. Frances, en revanche, a trouvé à se marier au-dessus de sa condition. Peu après, son mari et elle ont ouvert une boutique sise Holywell Street : Chaunticleer's. Là-dessus, Frances s'est mise en tête de se faire appeler Pertelote.

1. L'une des caractéristiques de l'accent cockney est d'escamoter les *h* aspirés pour les transformer en *h* muets (un peu comme si, en français, on disait « un n-héros », « des z-huttes », « des z-hiboux »).
Une vieille tradition réserve la qualification de « cockney » à ceux des Londoniens qui sont nés à l'intérieur du périmètre sonore des cloches de l'église St Mary-le-Bow, dans l'Est londonien, en plein quartier ouvrier.

— Bien trouvé, commente Watson, admirant sous tous ses angles le superbe havane dont il s'apprête à faire ses délices. Bien trouvé, mais un peu hors norme.

— Toute la famille semble avoir été hors norme, et plus qu'un peu. Comme vous l'avez découvert à votre détriment, d'ailleurs.

— Ah ? Je ne peux pas dire que, jusqu'ici, je m'y retrouve, dans ce que vous me racontez là.

— Le mari de la sœur aînée était un Augustus Kippersalt.

— Kipp... ? »

Watson en laisse choir son cigare sur la nappe et ne fait même pas mine de le rattraper.

« La sœur cadette de sa femme vivait avec le couple. Le type d'arrangement qui ne produit jamais d'effets très heureux, si j'ose dire. En un mot, Augustus Kippersalt a fini par faire interner sa belle-sœur. Pour "georgesandisme[1]", sauf erreur. »

Watson se redresse vivement. « Ça me revient ! J'ai dû fournir mon avis de médecin, sur cette affaire. Mais ce n'était pas seulement qu'elle s'habillait en homme, cette malheureuse miss Harris ! Les raisons ne manquaient pas de la faire mettre à l'écart, pour le bien public comme pour le sien. Entre les deux

1. L'écrivain française George Sand, de son vrai nom Aurore Dupin, avait fait scandale avec ses tenues masculines et son comportement jugé trop indépendant.

sœurs, pour commencer, la relation n'était pas des plus saines. Et il faut ajouter que la patiente, sévèrement défigurée depuis l'enfance, avait développé un véritable délire maniaque…

— Oh ! mais nul ne met en question votre diagnostic, docteur. Il est absolument certain que Flora Harris était – reste – atteinte de démence.

— Si je comprends bien, vous êtes en train de me dire que c'est elle qui… que… que *c'était elle*, ce drôle de paroissien venu me chercher à mon club ? » Le bon Dr Watson n'en croit pas ses oreilles.

« C'était elle, sans l'ombre d'un doute. Et c'est à elle aussi que vous devez votre plaisant séjour à Colney Hatch. »

Et Holmes d'expliquer comment Mrs Frances Kippersalt, *alias* Pertelote, elle-même sans doute un tantinet fêlée, a fini par donner préférence à sa cadette sur son mari ; comment elle s'est battue pour la faire ressortir de l'asile, assurant qu'elle veillerait sur elle jour et nuit ; et comment la jeune sœur n'a rien eu de plus pressé, sitôt libérée, que d'occire le mari. Il semble que le meurtre ait profondément perturbé l'aînée. Pas au point de la pousser à dénoncer sa cadette, mais suffisamment pour que, durant longtemps, elle lui serre la vis de façon efficace. Malgré quoi, ces derniers temps, sa vigilance avait dû se relâcher, assez en tout cas pour permettre à Flora Harris d'ourdir sa revanche sur le médecin ayant naguère signé son ordre d'internement…

« Mmm. Merveilleuse et limpide logique de l'absurde, commente Watson, placide, se renversant de nouveau contre le dossier de son fauteuil.

— Limpide ? Oui. Après coup. Quand on connaît l'histoire. Mais sur le moment… » Une étrange expression parcourt les traits du grand détective. Comme à la recherche d'un réconfort, il tire d'une poche de sa jaquette sa pipe et sa blague à tabac. « Sur le moment, admet-il à mi-voix, l'idée ne m'a même pas effleuré.

— Mais tout est bien qui finit bien.

— Vous êtes si brave, mon cher Watson, que vous ne m'en faites pas reproche. Mais moi, je m'en veux, croyez-moi, d'avoir négligé une piste qui pourtant crevait les yeux. Sans ma sœur, vous seriez encore à Colney Hatch. »

Sans ma sœur.

Cette sœur, Watson a beau ne rien ignorer de son existence – il était aux côtés de Sherlock, après tout, le soir où Enola, déguisée en religieuse, a amené à son cabinet une jeune fille à demi morte –, et les occasions de reparler d'elle ont eu beau ne pas manquer entre eux, c'est la première fois que le détective l'évoque volontairement devant son plus cher ami.

Ce sujet délicat ainsi abordé, le bon docteur prend

soin de réagir avec flegme, sans même un battement de paupières.

« Ah, votre sœur », dit-il simplement, comme si Holmes et lui parlaient d'Enola aussi souvent qu'ils évoquent la monographie signée Holmes sur l'identification des différents types de cigare à partir de l'examen des cendres. « Et que pensez-vous d'elle, Holmes ? »

Silence. Long silence durant lequel le grand détective contemple intensément, impavide, un point mal défini de l'élégant salon pour messieurs de chez Simpson's.

« J'en pense, dit-il enfin, regardant toujours droit devant lui, qu'il est bien dommage qu'elle me refuse sa confiance. »

NANCY SPRINGER

LORSQUE NANCY SPRINGER était enfant, sa mère avait les œuvres complètes de sir Arthur Conan Doyle. Elle se souvient des innombrables lectures et relectures de ces dix volumes reliés d'un tissu brun, qui ne se terminèrent que lorsqu'il ne resta plus d'histoires de Sherlock Holmes qu'elle n'ait mémorisées.

Nancy Springer développa ainsi le désir de créer un personnage féminin fort, qui aurait les mêmes capacités à résoudre des énigmes passionnantes que le plus célèbre des détectives. C'est ainsi que naquit Enola Holmes, la sœur cadette de son héros favori. Le premier tome de cette série, *La Double Disparition*, a recueilli de nombreuses critiques enthousiastes.

Spécialiste du détournement de personnages, Nancy Springer est aussi l'auteur de romans racontant les exploits de Rowan Hood, qui n'est autre que... la fille de Robin des Bois ! Elle a également écrit deux romans inspirés de l'épopée du roi Arthur, sur le personnage de Morgan. Elle a obtenu deux fois le prix Edgar dans la catégorie Meilleur Roman policier pour jeune adulte.

Nancy Springer habite à East Berlin, en Pennsylvanie.

N° éditeur : 10132984 – Dépôt légal : mai 2008
Imprimé en France par France Quercy - Mercuès - N° 80747/